성숙한 성도의 건강한 교회 세우기

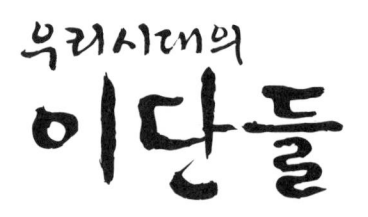

우리시대의
이단들

− 진리 수호와 이단·사이비 척결을 위한 성경공부 교재 −

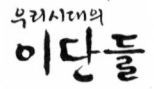

우리시대의
이단들

지은이 | 대전광역시 기독교연합회 이단·사이비대책위원회
펴낸날 | 2007. 11. 14
11쇄발행 | 2009. 5. 7.
등록번호 | 제3-203호
등록된 곳 | 서울시 용산구 서빙고동 95번지
발행처 | 사단법인 두란노서원
영업부 | 2078-3333 FAX 080-749-3705
출판부 | 2078-3477

∥책값은 뒤표지에 있습니다.
ISBN 978-89-531-0910-0 03230

두란노서원은 바울 사도가 3차 전도 여행 때 에베소에서 성령 받은 제자들을 따로 세워 하나
님의 말씀으로 양육하던 장소입니다. 사도행전19장 8-20절의 정신에 따라 첫째 목회자를 돕
는 사역과 평신도를 훈련시키는 사역, 둘째 세계선교(TIM)와 문서선교(단행본·잡지)사역,
셋째 예수문화 및 경배와 찬양 사역, 그리고 가정·상담 사역 등을 감당하고 있습니다. 1980
년 12월 22일에 창립된 두란노서원은 주님 오실 때까지 이 사역들을 계속할 것입니다.

우리시대의 이단들

- 건강한 교회 세우기
- 진리 수호와 이단·사이비 척결을 위한 성경공부 교재
- 대전광역시 기독교연합회 이단·사이비 대책위원회 발간

이단으로부터 교회와 성도를 보호합시다.

　복음이 이 땅에 전파되고 난 이후, 시대를 막론하고 이단들은 교묘하게 활동하며 영혼들을 파멸시켰습니다. 이단들은 복음의 본질을 왜곡하며, 성경을 인위적으로 해석하여 영적으로 육적으로 피해를 주는가 하면 예수님께서 받으셔야 할 영광을 교주가 가로채는 경우도 빈번합니다. 그리고 사회적으로 문제를 일으켜 교회의 이미지에 악영향을 주는가 하면, 주로 포교의 대상을 성도들로 하기에 더욱더 주의가 요구됩니다. 예전에 비해 최근 이단들의 활동은 더욱 더 교묘해지며, 심지어 교회 안까지 침투하여 성도들을 미혹하는가 하면, 고발과 고소로 교회와 기독교 단체들을 공격하기도 합니다.

　대전광역시 기독교연합회 이단 사이비 대책위원회에서는 이단들로부터 교회를 보호하고 성도들을 교육시켜 이단을 바르게 알게 하고, 또 이단으로부터 피해를 막으며, 더 나아가 이단으로 피해를 입은 사람들을 돕는 데까지 나갈 수 있도록 성도들을 훈련해야 할 필요성을 느꼈습니다. 이런 이유로 대전광역시 기독교연합회에서 본 교재를 만들게 되었습니다. 대전광역시 기독교연합회 이단 사이비 대책위원회는 건강한 대전 지역 1,800여 교회와 여러 교단이 모여서 구성된 단체입니다.

아무쪼록 교회에서는 이 교재를 잘 활용하셔서 성도들을 바르게 진리로 교육하며, 최근 기승을 부리는 이단들을 바르게 알아 교회 안에서 더 이상의 피해가 없도록 해야 할 것입니다.

- 대전광역시 이단사이비 대책위원회
- 위 원 장 : 오정호 목사 (새로남교회)
- 자문위원 : 정행업 목사(대전신학대학교)

    정동섭 목사(가정경영상담아카데미) 장동수 박사(침신대)

- 위원 : 김영수 사관(대동구세군교회)   송영진 목사(대전장로교회)
    김상호 목사 (햇불그리스도의 교회)   박경렬 목사(선광장로교회)
    김태성 목사(평안감리교회)   허성행 목사(대전명성교회)
    김영은 목사(선교제일성결교회)   최경만 목사(햇불교회)
    임흥근 목사(주의양성결교회)   김홍도 목사(할렐루야 교회)
    박승학 목사(예수생명순복음교회)   이정우 목사(임마누엘 교회)
    정동일 목사(한밭침례교회)   양병직 목사(대전소망의교회)
    최승준 목사(은혜침례교회)   김학수 목사(대전은혜교회)
    박유화 목사(대전제일침례교회)   김진수 목사(반석위에세운교회)
    성 백 목사(동구침례교회)   송기범 장로(참사랑교회)
    고금표 목사(동대전복음교회)   최준학 목사(대전새벽교회)
    손영철 목사(새소망복음)   김 암 목사(새생명교회)
    김병희 목사(소금빛복음)

✦ *추천사*

이단은 사이비기독교다. 보석과 다이아몬드와 같이 귀한 물건일수록 모조품이 많이 나오게 마련이다. 그래서 유일한 길과 진리가 되시는 예수 그리스도의 복음을 흉내내는 사이비들이 양산되고 있다. 이단은 명품을 모조하는 짝퉁과 같은 존재들이다. 어떤 이단은 진리와 너무 비슷해 보통 성도들은 분별하기가 쉽지 않다. 귀중한 교재를 집필해 주신 대전광역시 기독교연합회 이단 사이비대책위원회 위원들에게 감사드리며, 미혹하는 거짓 선지자와 이단으로부터 성도들을 보호할 목적으로 기획된 이 귀중한 교재가 정통교회에 의해 널리 쓰여지기를 기대한다.

한명국 목사
(한국기독교총연합회 이단사이비대책위원회 위원장; 전 서울침례교회 담임목사)

대전을 종교의 백화점, 또는 사이비·이단의 온상이라고 한다. 많은 이단이 대전에서 시작되어 암약하고 있기 때문이다. 박옥수의 구원파, 이만희의 무료성경신학원, 안상홍증인회, 통일교, 여호와의 증인 등이 그 사특한 교리로 정통교회를 위협하고 있는 이때에 우리 대전기독교연합회 소속 이단대책위원회에서 이와 같은 교재를 개발한 것을 자랑스럽게 생각하며 이 책을 전국의 모든 교회에서 사용하도록 추천하는 바이다.

김윤기 목사
(대전광역시 기독교연합회 회장; 인동교회 담임목사)

이단은 영혼을 멸망시키고, 가정을 파괴하며, 교회를 분열시키는 사이비기독교 단체를 총칭하는 말이다. 우리나라에는 건전한 교회가 부흥하는 만큼 사이비이단들도 득세하고 있다. 이단은 순진한 성도들과 그들의 가정, 그리고 정통교회를 갉아먹는 암세포와 같은 존재이다. 이번에 대전광역시 기독교연합회 이단 사이비대책위원회에서 「우리 시대의 이단들」이라는 8주간에 소화할 수 있는 성경공부 교재를 만들어 주신 것에 대해 감사드리며, 이 책이 우리 정통교회를 이단으로부터 보호하는 데 한몫을 담당해 주기를 기대한다.

정동섭 목사
(한국기독교총연합회 이단 사이비대책위원회 부위원장;
 대전대흥침례교회 협동목사; 가족관계연구소장)

일러두기

오늘날 이단들은 교회 안까지 침투하는 대담함을 보이고 있습니다. 뿐만 아니라, 극성스러운 이단들의 활동으로 국민들이 교회에 대한 이미지가 악화되어 이들에게 복음을 전파하는 데 어려움이 있습니다. 이러한 시점에서 이단으로부터 성도들을 보호하고 바르고 건강한 신앙으로 훈련하기 위한 예방적 차원에서 성경공부 교재를 발간하게 되었습니다.

이 교재는 '이단이란 무엇인가?'라는 개괄적인 설명과 더불어 성경공부를 하도록 구성되어 있습니다. 교회 전체, 혹은 구역(속회) 모임, 청년부, 대학부 등 부서 모임 등에서 활용할 수 있습니다. 교회에서 활용하실 때 1장 총론 부분은 담임목사님이나 담당 교역자, 혹은 인도자가 진행해 주고, 나머지 여섯 과의 성경공부는 소그룹 공부를 통해서 공부할 수 있습니다.

성경공부 기간과 방법은 교회의 형편에 따라 달라질 수 있으나 대략 8주 과정으로 공부하면 됩니다. 3장에 요약된 주요 이단들은 최근에 두드러지게 활동하는 이단들입니다. 성경공부를 하는 동안 참고하여 보조 자료로 활용하면 도움이 됩니다.

이단들은 자신들의 정체를 드러내는 집회를 열 때 집회 방해는 물론 고발과 고소를 밥 먹듯 하고 있습니다. 이단과 관련된 유인물을 작성하실 때는 5장 '4. 법률적인 차원에서의 이단 대책'을 참고하기 바랍니다.

이 교재는 특정 단체를 비방할 목적으로 만들어진 것이 아니라 신실한 성도들의 올바른 신앙 지도와 건강한 교회를 세우기 위해 집필된 것임을 밝힙니다. 하나님의 진리의 말씀으로 교회를 건강하게 세우며 성도들을 이단으로부터 보호하는 데 본서가 요긴하게 사용되기를 간절히 소망합니다.

목차

○ 발간사 4
○ 추천사 6
○ 일러두기 8

1장 이단이란 무엇인가? / 13

1. 이단과 사이비의 정의
2. 이단판정의 신학적 표준
3. 이단과 사이비의 특성
4. 이단 · 사이비 확인방법
5. 이단 · 사이비 발생원인
6. 한국교회에 나타난 이단의 유형
7. 이단에 빠지기 쉬운 유형
8. 이단이 개인과 사회에 미치는 폐해
9. 예방대책

2장 이단에 대한 성경공부 / 29

1. 이단을 알고 바르게 대처하라
2. 성경론과 이단
3. 기독론과 이단
4. 성령론과 이단
5. 구원론과 이단
6. 종말론과 이단

3장 한국의 주요 이단들 / 67

1. 무료성경신학원(신천지)
2. 구원파(박옥수)
3. 하나님의 교회(안상홍 증인회)
4. 통일교(문선명)
5. 기독교복음선교회(정명석 JMS)
6. 여호와의 증인(왕국회관)

4장 이단 침투 방법과 피해 사례 / 99

1. 교회침투 사례
2. 캠퍼스침투 사례
3. 가정피해 사례
4. 교회침투 이단 판별

5장 이단 · 사이비 방지 대책 / 121

1. 이단 · 사이비 방지 대책
2. 법률적인 차원에서의 이단 대책
3. 이단 · 사이비를 비호하는 도서 및 언론
4. 기도원 이용시 주의점
5. 이단들의 교육기관 및 사업체

6장 이용 가능한 주요 사이트 및 도서 / 139

1. 이단 · 사이비 대책위원회
2. 인터넷 사이트
3. 이단 대책 관련 도서

이단이란 무엇인가?

1. 이단과 사이비의 정의

2. 이단판정의 신학적 표준

3. 이단과 사이비의 특성

4. 이단 · 사이비 확인방법

5. 이단 · 사이비 발생원인

6. 한국교회에 나타난 이단의 유형

7. 이단에 빠지기 쉬운 유형

8. 이단이 개인과 사회에 미치는 폐해

9. 예방대책

1장 이단이란 무엇인가?

과거나 지금이나 이단들은 성도들을 미혹하고 신앙을 무너뜨리며 가정 생활을 피폐하게 만들고 있습니다. 최근 이단들의 활동은 더 극성스러워 선교지에서 무차별적인 포교 활동은 물론이며, 교회 내부에까지 잠입하여 성도들을 미혹하며, 교회를 뒤흔드는 일에 물불을 가리지 않고 이리떼처럼 달려드는 형편입니다. 사도 베드로는 "근신하라 깨어라 너희 대적 마귀가 우는 사자같이 두루 다니며 삼킬 자를 찾나니"(벧전 5:8)라고 경고하고 있습니다. 광명의 천사의 모습으로, 양의 탈을 쓴 늑대의 모습으로, 목장 안까지 침투하여 미혹하는 이단에 대해 교회는 확고한 의지와 전략을 가지고 적극적으로 대처해야 합니다.

1. 이단과 사이비의 정의

1) 이단이란 단어는 헬라어로 '멸망케 하는 의견', '거짓된 가르침'(하스레이시스), '분리', '당파', '포획', '불화', '논쟁'(하이레오마이에서 파생), '분리론자', '분열을 일으키는 자들'(하이레티코스)을 의미합니다. 성경에 나타난 다른 표현으로는 "무서운 이리", "거짓 예언자", "적 그리스도", "다른 교훈", "거짓 선생", "남을 분열시키는 자" 등이 있습니다.

2) 사이비는 비성경적인 내용을 주장하며 자신들의 명성을 이용하여 이단들을 홍보하고 건전한 교회와 성도를 미혹시키는 악령의 역사로 이단을 키우는 온상입니다.

2. 이단 판정의 신학적 표준

정통 기독교를 벗어난 이단들을 판정하는 신학적인 표준을 설정하는 것은 매우 중요합니다. 특히, 현대의 신학 조류는 보수정통신학과 자유주의신학의 양극화 현상으로 갈라져 있고, 또 너무 다양화되어 있습니다. 더욱이 로마 가톨릭이나 희랍정교회는 차치하고라도 기독교 내에 각 교파별로 신학이 형성해 있고 각기 특색을 가지고 있으므로 어떤 신학을 기조로 해서 이단 문제를 비판하는가 하는 문제가 제기될 수밖에 없습니다. 이단을 규정하는 기준은 각 교단 마다 약간의 차이가 있습니다만, 이 교재에서는 가장 보편적인 접근을 제시하고자 합니다.

〈대한예수교장로회(예장통합) 교단의 사례〉

"교리의 표준인 신구약성경, 세계보편교회의 신조인 니케아 – 콘스탄티노플신조(A.D.381)와 칼케돈신조(A.D.451) 및 세계 개혁교회의 신앙고백전통과 대한예수교장로회총회의 신앙고백(1986)을 연구의 기준으로 한다."

1) 성경

성경은 사이비신앙이나 이단을 판별하는 기본 텍스트입니다. 원래 정통교리(Orthodoxy)란 말은 '올바른 가르침'인데 그 뜻은 성경을 올바르게 이해하고 해석한다는 의미를 지니고 있습니다. 성경의 올바른 이해와 해석에서 벗어나면 이단이 될 수밖에 없습니다.

2) 신조

초대교회로부터 **A.D. 500**년까지 지중해 연안을 중심으로 복음이 전파되었는데 지역별로 교구가 생겼습니다(5대 교구 : 로마, 콘스탄티노플, 예루살렘, 알렉산드리아, 안디옥교구). 이러한 교구에서는 초대교회에 일어나는 이단 문제에 대한 시비를 가렸습니다.

제일 먼저 니케아회의(A.D. 325)에서 하나님에 관한 삼위일체론과 기독론의 양성론이 확립되었으며, 다음으로 니케아 – 콘스탄티노플회의(A.D. 381)에서는 성령론이 확정되었으며, 그 후 칼케돈회의(A.D. 451)에서 기독론이 완성되었습니다. 그 다음으로 에베소회의(A.D. 431)에서 어거스틴의 은총의 신학으로 구원론이 확립되었습니다.

3) 신학의 체계

이단을 분별하는 것은 신학의 과제라고 할 수 있습니다. 그러나 신학의 분야도 성경신학, 역사신학, 조직신학, 실천신학으로 분류되어 있습니다. 그러나 '신학적 측면에서 본'이라고 할 때, 여기서 말하는 신학은 다른 모든 분야의 신학도 포괄되지만 특히 교의학 혹은 조직 신학을 지칭합니다. 조직신학은 ①계시론 ②성경론 ③신론 ④인간론 ⑤기독론 ⑥성령론 ⑦구원론 ⑧교회론 ⑨종말론으로 세분할 수 있습니다. 현재 횡행하고 있는 사이비신앙운동이나 이단들을 검증해 볼 때 이상 열거한 조항들에 비추어서 전통적으로 전승되어 온 신학과 견주어서 판단할 수 있습니다.

3. 이단과 사이비의 특성

이단과 사이비의 특성들로는 다음과 같습니다.

1) 성경만이 신앙 생활의 표준이라는 권위를 부정합니다.

2) 하나님과의 직통계시를 주장하며 교주를 신격화합니다.

3) 이신칭의(믿음으로 구원받는다) 교리를 부정하며 자신들에게만 구원이 있다고 강조합니다.

4) 그리스도의 신성 부정, 즉 하나님으로서의 예수님을 부정합니다.

5) 윤리 의식과 사회책임 의식이 약해 그들의 신앙과 삶은 비윤리적이며, 부도덕한 교리를 갖고 있습니다.

6) 종말론을 의도적으로 강조합니다.

7) 사후 천국보다 가시적인 천국, 혹은 지상 천국을 강조합니다.

8) 자신들의 조직을 외부와 단절하여 폐쇄적으로 운영합니다.

4. 이단·사이비 확인 방법

다음과 같은 특징들을 통해 이단을 확인할 수 있습니다.

1) 정통교회가 신·구약 66권을 정경으로 받아들이는데 반해 이단들은 신·구약성경의 권위보다 다른 복음에 권위를 부여하고 있으며 하나님의 특별계시의 계속성을 주장하고 있습니다.

2) 정통교회는 예수 그리스도의 십자가 구속의 도리를 믿는데 반하여 이단들은 이를 부인합니다.

3) 이단들은 사도신경에 담긴 내용으로 신앙고백을 하지 않습니다.
   (사도신경을 공예배에서 신앙고백문으로 사용하는 것은 교단마다 차이가 있습니다만 대체적으로 그 내용은 인정합니다.)

4) 이단·사이비들의 대부분은 기성교회 교인들을 대상으로 미혹하고 있습니다.

5) 이단들은 그들의 지도자들을 숭배의 대상으로 삼거나 신격화합니다.

6) 이단들은 불건전한 신비주의 온상에서 독버섯처럼 발생합니다.

7) 성경해석에 있어서 이단들은 자의적인 해석이나 상징적인 해석으로 오류를 범합니다.

5. 이단·사이비의 발생 원인

이단·사이비 집단들이 발생하는 원인과 배경에는 여러 가지 요인이 복합적으로 작용하고 있습니다. 이러한 원인과 배경을 첫째, 교회

외적인 원인, 둘째, 교회 내적인 원인, 셋째, 한국인의 종교심성으로 분류해 볼 수 있습니다.

1) 교회 외적인 원인

종교는 시대 환경의 변천에 따라 지대한 영향을 받고 있음을 경험을 통해서 잘 알 수 있습니다. 구한말 시대적 위기 상황에 한국 신흥종교가 많이 발흥했으며 6·25 한국전쟁 후 혼란기에 기독교 이단들이 우후죽순처럼 창궐했음이 이를 증명합니다. 그 요인들을 열거하면 ① 정치적 불안 ② 경제적 파탄 ③ 사회적 혼란 ④ 가치관의 몰락 ⑤ 사상의 분열 ⑥ 기성종교의 무력 ⑦ 교주의 광신적 영웅주의 ⑧ 민중의 무지 ⑨ 신앙 자유의 남용 등입니다.

2) 교회 내적인 원인

교회가 교회답지 못하고 사명을 다하지 못할 때 이단이나 사이비가 발생되거나 조장하는 결과를 초래하게 됩니다. 교회가 생명력을 잃고 사랑이 식어지며 선교적 사명을 다하지 못할 때 실망하는 사람들이 기성교회를 등지고 이단으로 기울어지게 됩니다. 교회 내적인 원인을 열거하면 ① 교회의 분쟁과 분열 ② 교회의 계층화 ③ 교회의 신학적 빈곤 ④ 교회의 부패 ⑤ 극단적 자유주의와 근본주의 신학의 대립 ⑥ 교회의 세속화 등입니다.

3) 한국인의 종교심성에서 본 원인

한국인은 오랫동안 민간신앙인 무속종교에 젖어 왔습니다. 그 후에 소위 전통종교인 불교와 유교에 깊은 영향을 받았습니다. 여기서 형성된 한국인의 종교심성 중에는 이단이나 사이비로 기울기 쉬운 요인이 있음을 자인하게 됩니다. 그 요인들은 ① 도피심성 ② 혼합심성 ③ 기복심성 ④ 신비심성 ⑤ 의존심성 등입니다.

이상과 같은 이단이나 사이비의 발생 원인과 그 배경을 잘 파악하면 그에 대한 대처방안도 모색이 될 것입니다.

6. 한국교회에 나타난 이단의 유형

한국에 발생한 이단들을 유형별로 보면 다음 몇 가지로 구분할 수 있습니다.

1) 혼합적 유형

대표적으로 통일교가 여기에 해당됩니다. 동서양의 다종교 사상을 합쳐 놓아 모순 · 상충되는 원리들을 종교적 영감과 계시를 빙자하거나 위장하여 사람들을 미혹합니다. 한국의 마귀론과 귀신론도 성경과는 거리가 먼 한국무속문화와 혼합되어 있고, 개인의 신비적인 체험을 기초로 하고 있습니다. 경계해야 할 대상입니다.

2) 현세 기복적 유형

현세의 부귀영화를 달성하고 질병이나 재앙을 피해보려는 신앙형
태로 남이 어떻게 되든 자신만 복을 받으면 된다는 기복주의적인 신
앙이 이단·사이비에서는 강하게 나타납니다. 이들은 이웃과 사회에
대한 윤리적 책임의식이 없습니다.

3) 신비 광신적 유형

신비주의 현상과 이단은 밀접한 관계가 있습니다. 많은 교주들은
투시, 예언, 안찰, 안수, 방언, 통역, 진동, 축귀, 환상, 치병, 몽시, 입신
등의 신비 능력을 자랑합니다. 그리고 이것을 무기삼아 성도들을 유
인합니다. 감정에 치우친 광신적 신비주의는 인간으로 하여금 무아지
경에 빠지게 하여 무인격, 무의식, 탈사회 현상을 초래하며, 교회와 사
회에 많은 피해를 주고 있습니다.

4) 국수주의 및 자유주의 유형

이 유형은 민족적 주체의식을 내세우면서 반선교사적인 사상을 가
지고 있습니다. 소위 기독교에서 서양적인 것을 빼고, 한국적인 것을
가져야 한다는 주장이 근간이되어 반선교주의, 반교권주의, 자유주의
신앙의 성향을 띱니다.

5) 시한부종말론 유형

예수님의 재림을 강조하여 재림의 일시를 정해 놓고 그것이 틀릴 경우, 나름대로 이유를 들어 합리화하면서 계속해서 시한부종말론을 주장합니다. 세계적으로 웃음거리가 된 1992년 10월 28일 다미선교회가 시한부종말론을 외쳤으며, 경제가 어렵거나 사회의 혼란이 가중될 때마다 시한부종말론은 극성을 부리게 됩니다.

7. 이단에 빠지기 쉬운 유형

1) 정통교회에서 상처받은 자

성경말씀을 배우기에 갈급한 자나 교회 지도자에게 상처받은 자, 율법과 은혜의 차이를 분별치 못하는 자, 학벌이 낮아 공부를 해 보지 못한 자, 사람의 행위를 보고 실망한 자들이 이단에 빠지기 쉽습니다.

2) 결혼 생활이 불행한 부부

남편의 사랑을 받지 못하는 중년부인들과 아내의 존경을 받지 못하는 남편들이 이단에 미혹되기 쉽습니다. 이것은 교리 때문이 아니라, 수용과 소속의 욕구가 강하기 때문입니다.

3) 위기에 직면한 정상인

삶이 어렵거나, 역기능 가정에서 자랐거나, 이혼이나 개인적인 우울한 일을 경험하여 삶의 방향감을 잃었을 때 이단에 빠질 수 있습니다.

4) 부모와 갈등이 많은 사람

부모와의 관계가 만성적으로 불행하다고 느끼는 사람들, 특히 부모의 권위가 없는 가정이나 방치된 사춘기의 청소년들과 젊은이들이 이단에 빠지기 쉽습니다.

8. 이단이 개인과 사회에 미치는 폐해

1) 개인의 영육간의 피폐

이단에 빠진 사람들은 잘못된 가르침으로 많은 피해를 입게 됩니다. 이단에서 뛰쳐나온 후에 그것을 지우고, 바르고 건전한 말씀을 배우기까지 너무나 많은 고통의 시간을 보내게 된다고 토로하고 있습니다.

2) 가정파괴

부부 중 한 사람이 이단에 빠져 가정이 파괴된 경우는 가장 흔한 사례이기도 합니다. 부부의 이혼으로 자녀들이 고통을 받게 되며, 자녀 중 한 사람이 이단에 빠짐으로 가족 전체가 신음하게 되는 현상들이 빈번하게 있습니다.

3) 가산탕진

이단들은 어떤 명목과 명분을 동원하여 물질을 집요하게 착취합니다. 그래서 이단에 오랫동안 머물러 있는 경우, 가산을 탕진하게 되는 경우가 빈번합니다.

4) 사회적 혼란

이단들은 윤리의식이 약하며, 사회의 문제에 대해서도 무책임합니다. 그 결과 이단이 집단화될 때 사회의 크고 작은 문제들을 일으키게 됩니다.

한국에서는 1992년 예수 재림을 이야기한 다미선교회, 오대양 집단 자살, 영생교 집단 살해 등과 같은 반사회적이며 반인류적인 일들이 자행되었습니다.

5) 복음의 문을 막음

무엇보다도 가장 큰 문제는, 예수님을 믿지 않는 사람들이 이단을 정통 기독교로 오해하여 전도의 문을 닫게 되는 결과를 초래합니다. 이단들은 교회로 침투하여 교회를 무너뜨리고 이어서 그들의 이단 교사를 선교지에도 파송하는 형국이 되어 성경적 복음 전파에 막대한 장애물이 되고 있습니다.

9. 예방대책

최근 이단들은 교회의 파괴를 그들의 사명으로 여겨 교회 내부까지 침입하는 사례를 보이고 있습니다. 교회는 깨어 정신 차리고 이단에 대한 경각심을 가지고 예방에 최선을 다해야 합니다.

1) 교회의 건강성 회복

① 가정이 사랑의 공동체로 따스함이 넘치는 생활을 하도록 해야 합니다. 가정회복은 이단이 틈 탈 기회를 봉쇄하는 것입니다.

② 목회자와 교우들과 지속적으로 성경말씀을 공부해야 합니다.

③ 목회자들은 교인들의 영적인 욕구를 잘 알고 적절히 채워줘야 합니다.

④ 자신이 소속되어 있는 교회에서 성실한 봉사자로 교회 건강에 기여해야 합니다.

⑤ 이 지상에서 가장 성스러운 하나님의 교회도 불건전한 인간들이 모인 곳이라는 사실을 인식시켜야 합니다.

2) 이단에 대한 예방 훈련

성경에 의하면 아무리 과학이 발달하고 선진국이 되더라도 점차적으로 이단 · 사이비는 늘어나며, 거기에 빠지는 사람들 또한 증가할 것이라고 예언하고 있습니다. 예수님은 이단들의 미혹을 받지 않도록 주의하라고 말씀하셨습니다(막 13:5).

① 예방 교육을 시켜야 합니다. 이미 이단 · 사이비에 빠진 사람을 다시 구해 온다는 것은 참으로 어려운 일입니다. 그러므로 이단 · 사이비에 대한 예방 교육이 가장 효과적입니다. 이 교재도 이러한 목적 하에 만들어졌습니다.

② 신세대 청년들을 잘 보호해야 합니다. 그들은 대학에 들어온 후

에 갑자기 걷잡을 수 없는 자유가 주어집니다. 그리고 새로운 것
을 체험해 보고자 하는 욕망을 갖게 되는데, 바로 이때 각 대학에
있는 이단 서클이나 이단 종파에서 이들에게 유혹의 손길을 뻗
칩니다. 그러므로 목회자나 선교단체 간사들은 이들에 대해서
특별 보호와 경계를 해야 할 것입니다. 사마리아 여인을 도우신
예수님처럼(요 4:1-25) 인내를 가지고 도울 수 있어야겠습니다.

③ 문제 있는 청년이나 성도들에게 특별한 관심을 가지고 지도해야
합니다. 가정에서 정상적인 사랑을 받지 못한 청년들로 하여금
사랑을 받게 하며, 또한 어렸을 때 정신적인 아픔과 성적 상처를
입은 청년들을 지속적으로 상담하며 지도해야 합니다. 교회는
그들이 이단에 빠지지 않도록 이들에 대한 목자의 심정을 가져
야 합니다.

10. 이단 사이비 집단들

대표자(명칭) 및 단체명	교 단	연도/회기	결 의	결의 내용
구원파 · 권신찬, 유병언(기독교복음침례회) · 박옥수(대한예수교침례회) · 이요한(대한예수교침례회)	기 성	1985/40	비성경적 이단 사이비	
	고 신	1991/41	이 단	
	합동, 통합, 합신	1992	이 단	깨달음에 의한 구원, 회개, 죄인문제
이만희 **신천지교회** **(무료성경신학원)**	통 합	1994/80	이 단	계시론, 신론, 기독론, 구원론, 종말론
	합 동	1995/80	신학적 비판 가치 없음	
	기 성	1999/54	이 단	
	고 신	2005/55	이 단	대표자 이만희 씨가 직통계시자, 보혜사라 주장
	합 신			

대표자(명칭) 및 단체명	교 단	연도 /회기	결 의	결의 내용
문선명 통일교 (세계평화통일가정연합)	통 합	1971/56	사이비종교	전통적인 신학사상과는 극단적으로 다름
		1975/60	불인정집단	가입금지, 관련 신문, 잡지에 투고금지
		1976/61	엄하게 치리	교단화합 교회사명에 장애를 줌 단호히 경고
		1979/64	기독교 아님	기독교를 가장한 사이비 종교집단임
		1988/73	불매운동	문선명 집단 관련제품 조사하여 불매운동 전개
		1989/74	조사처벌	통일교와 관련자 철저히 조사 색출하여 치리
	고신, 기성, 기장, 합신		기독교를 가장 한 사이비집단	성경관, 교회관, 기독론, 부활론 등 전부냥 걸쳐 반기독교적
안상홍 안상홍증인회하나님의 교회	한기총	2000	이 단	안식교계열, 성경적으로 비판할 가치조차없는 이단
	통 합	2002/87	반기독교적이단	교리적 탈선, 성경해석의 오류, 왜곡된 구원관
여호와의 증인 왕국회관	기 성	1993	이 단	구원론, 교회론, 지옥부재, 삼위일체 부인
	고신, 기장, 합신		이 단	
정명석 국제크리스챤연합 기독교복음선교회	고 신	1991/41	이단규정	성경해석, 교회, 삼위일체, 부활, 그리스도 의 재림
	통 합	2002/87	반기독교적 이단	
	합신, 기성			

CHAPTER

2장

이단에 대한 성경공부

1. 이단을 알고 바르게 대처하라

2. 성경론과 이단

3. 기독론과 이단

4. 성령론과 이단

5. 구원론과 이단

6. 종말론과 이단

1과

이단을 알고 바르게 대처하라

[성경본문 / 유다서 1절~ 25절]

유다서의 저자는 예수님의 형제이며 야고보의 동생인 유다입니다. 유다는 당시 초대교회에 극성을 부렸던 이단들에 대해서 교회가 깨어, 바르게 대처하도록 하기 위해 편지를 보내게 되었습니다. 유다 외에도 많은 사도들은 이단에 대한 경계의 말씀을 전했습니다. 이번 과에서는 이단에 대한 바른 대처법을 배워 보도록 하겠습니다.

■ 이단을 경계하라

1. 이 편지를 쓴 사람은 누구입니까?(1절)

2. 유다는 왜 이 편지를 쓰게 되었다고 했습니까?(3, 4절)

3. 초대교회 당시의 이단들은 어떤 특징을 갖고 있었습니까?(4, 8절)

* 도움말 – 가만히 들어온 사람(4절): '옆문으로 들어온 자'라는 뜻으로 거짓 진리를 가지고 교회에 침투하는 이단들의 특징을 잘 보여 줍니다.

4. 유다는 바른 신앙을 떠나 하나님을 배역하다가 멸망한 예들을 통해서 이단들의 활동과 그들의 멸망을 이야기합니다. 이단의 모습에 비유해서 구약의 멸망의 모습으로 다룬 세 가지 사건은 무엇입니까? 정리해 보십시오(5, 6, 7절).

1) 5절 –

2) 6절 –

3) 7절 –

■ 이단의 실체를 알라

5. 이단들의 삶은 비윤리적인 요소가 많습니다. 특히 그들의 언어 생활은 공격적이어서, 독한 말을 서슴지 않습니다. 이단들의 입술의 특징들을 찾아 기록해 보십시오(16절).

※ 도움말 – 모세의 시신에 관한 변론(9절): 천사장 미가엘과 사단이 모세의 시신으로 다퉜다는 내용은 이 본문에만 기록되어 있습니다. 이 절에서 유다가 말하고자 하는 내용의 핵심은 모세의 시신을 악용하려는 사단에게 미가엘은 모욕적인 언사를 사용하지 않으며 꾸짖기만 했는데(9절), 이단들은 자신들이 이해하지 못하는 것들에 대해서는 무조건 욕을 하고 비방하는 일들을 일삼으며 비인격적인 언어 생활을 한다는 것입니다(10절).

6. 이단들에 대해서 "화 있을진저"(11절)라고 분명히 경고합니다. 그들은 심판받게 됩니다. 또한 심판받은 자들의 예로 구약의 패역한 세 사람을 들어 경고하고 있습니다. 이 사람들의 주요 특징과 그들이 했던 일들을 기록해 보십시오.

이름	특징	구체적인 내용 기술
가인	거짓예배 (창 4장)	
발람	물질집착 (민 22-24장, 계 2:14)	
고라	권력욕 (민 16장)	

7. 이단들의 모습을 비유로 설명하고 있습니다. 이 비유들을 다 적어 보고 그것들이 의미하는 바가 무엇인지 기록해 보십시오(12-13절).

* 도움말 – 물 없는 구름(12절): 구름은 비를 내리기 위해 있습니다. 특히 이 스라엘 지역에서 비는 가뭄을 해갈하는 작물에게 있어서 중요한 은혜의 수단입니다. 그러나 이단들은 물 없는 구름처럼 비를 내릴 듯이 보이지만 정작 비를 내리지 못하고 바람에 밀려다니므로 이는 그들의 위선적이며 거짓된 모습을 비유한 것입니다.

8. 아래의 '신천지 이단의 행동지침'의 글을 읽고 이단에 대한 종전의 생각과 성경공부를 하면서 새롭게 가진 생각들을 나눠 보십시오.

〈신천지 이단의 10가지 행동지침〉
① 신학원에서 신학 공부하는 사실을 절대적 비밀로 한다.
② 신학원의 교재는 밖으로 유출시키지 않는다.
③ 보안 유지와 신변보호를 위하여 지도자들은 가명을 사용한다.
④ 기성교회의 충성스러운 교인들에게만 접근한다.
⑤ 최대의 사명은 기존 교회를 말살하고 목사를 죽이는 것이다.

이 사명을 감당하기 위하여 수단 방법을 가리지 않는다. 목사의 신분상 약점을 이용하여 돈 문제, 여자 문제 등으로 모함한다.

⑥ 철저하게 부부 중심의 신앙 생활을 강조한다.

⑦ 고등과정을 공부한 사람이 빠져나갈 기미가 보이면 상상을 초월하는 위협을 주어 절대로 빠져나가지 못하게 한다.

⑧ 주일날은 꼭 기존교회 예배에서 공격대상자를 물색하고, 목사의 설교를 녹음하거나 기록해서 흠잡을 수 있는 단서를 만들어, 공격대상자가 목사나 교회에 불평감을 가질 수 있도록 은근히 부추긴다.

⑨ 승리를 위하여, 또는 영생을 얻기 위하여 법과 윤리, 도덕과 가정, 몸을 과감히 버리고 투쟁한다.

⑩ 신학원에서 배운 성경구절을 암송하고 평소에 성경구절만 이야기해서 이단이 아님을 강조한다.

■ 이단에 바르게 대처하라

9. 이단들이 심판받는 이유는 무엇입니까?(15절)

10. 사도들을 통해서 이단에 대해서 한 말을 기억하라고 합니다. 사도들을 통해 이미 설명된 이단들의 구체적인 행동양식은 어떠합니까?(17~19절)

* 도움말 – 당을 짓는(19절): 원어적인 의미는 '… 으로부터 나누다'로 신앙의 공동체를 파괴하는 행위를 일컫습니다.

11. 이단이 범람하는 마지막 때에 성도들이 가져야 할 삶의 바른 자세는 무엇입니까?(20~21절)

12. 위 11번의 질문에 근거해서 볼 때 지금 나 자신이 영적으로 더 경계하며 집중해야 할 부분은 무엇이라고 생각합니까? 자신의 말로 적어 보십시오.

13. 믿음에 대해 연약한 자들과 미혹된 자들에 대해 어떤 태도를 가져야 합니까?(22 ~23절)

14. 예수 그리스도는 이단들의 위협으로부터 성도들을 어떻게 하신 다고 하셨습니까?(24절) 그렇다면 우리들은 이단 문제를 어떻게 대해야 하겠습니까?

■ 적용질문 ■

우리 지역에 활동하는 이단들은 어떤 이단들이 있는지 찾아봅시다. (본문 p.26, 27참조) 그리고 이들의 특징과 본문에서 말해 주는 특징들은 어떤 것들이 있는지 서로 이야기해 봅시다.

2과

성경론과 이단

[성경본문 / 베드로후서 2장]

이단들의 두드러진 특징 가운데 하나는 성경말씀을 아전인수(我田引水)격으로 해석한다는 것입니다. 초대교회에는 영지주의 영향을 받아 그 시대철학이나 사상의 흐름에 따라 성경을 해석하는 거짓 선생들이 많았습니다. 이번 과에서는 성경론과 이단에 관해 배워 보겠습니다.

■ 이단의 정체

1. 본문에서 이단들은 어떤 자들과 함께 합니까?(1절) 그리고 그들은 어떤 목적으로 말씀을 사용합니까?(2~3절)

2. 우리들은 이단들의 근본과 뿌리를 알 필요가 있습니다. 3절에서 그들은 지어낸 말로 성도들을 미혹하여 이익의 도구로 삼는다고 했

습니다. 그들이 거짓말을 일삼는 이유는 무엇입니까?(3절) 그리고 이들은 누구를 닮아서 거짓을 일삼게 됩니까? 성경은 사단에 대해서 어떻게 말합니까?(4절, 요 8:44)

3. 최근 활동하는 이단 중 교회에 침투하기 위해 자신을 위장하며, 교묘한 거짓말로 단체명을 수시로 바꾸거나, 자신의 위치를 노출시키지 않으려고 거짓말을 밥 먹듯이 하는 이단은 어떤 이단입니까?

4. 거짓선생들은 그리스도를 따르는 거룩한 고난을 통한 영생이 아닌, 이 땅에서의 쾌락을 따라 사는 것을 가르칩니다. 거짓선생들의 가르침이 잘못된 것이라는 것을 성경은 어떤 예를 통해서 증명하고 있습니까?(5~6절)

5. 거짓 교사들과 이단들은 발람의 길을 따르는 자라고 합니다. 발람이 그릇되고 망령된 길로 가서 하나님의 백성들을 범죄케 한 이유는 무엇 때문이었습니까?(14~15절)

* 도움말 – 발람: 발람 선지자는 출애굽하는 이스라엘 백성들을 저주하도록 모압왕 발락의 부탁을 받고 초빙되어 갔습니다. 길을 가던 중 나귀를 통해 알려 주신 하나님의 말씀을 깨닫고 모압 사람들 앞에서 오히려 이스라엘 백성들을 축복했습니다(민 22~25장). 그러나 후에 자신에게 주어진 재물로 인해 하나님의 뜻을 분명히 알면서도 이스라엘 백성들이 성적으로 타락해 하나님께 벌을 받게 하도록 사주한 선지자입니다. 그의 죽음은 비장한 죽음이었습니다(계 2:14).

■ 성경말씀과 이단

6. 성경은 어떻게 기록되었습니까? 그리고 성경은 성도들로 하여금 어떤 유익을 줍니까?(딤전 3:16)

7. 하나님께서는 하나님의 말씀을 힘써 지켜 그리스도의 거룩을 닮아 가도록 우리에게 말씀을 주셨습니다(요일 5:3). 그러나 이단들은 이 말씀을 다른 용도로 사용하고 있습니다. 구체적으로 그들은 말씀을 어떤 목적에 활용합니까?(벧후 2:14)

8. 이단들은 성경해석을 어떤 방식으로 합니까? 아래 이단들의 잘못

된 성경해석 방식을 참조하십시오. 그리고 그 결과는 어떻습니까?(벧후 3:16)

■ 이단들의 잘못된 성경해석 방식

일부 이단들은 성경해석에 있어서 비유를 가장 많이 사용합니다. 예수님의 비유를 시작으로 요한계시록과 다니엘서 등 모든 부분을 비유로 해석합니다. 이단들은 성경을 교주의 말이나, 자체 교리를 통해 해석하려고 합니다. 해석의 틀을 먼저 만들어 두고 성경을 끼워 맞추는 오류를 범합니다. 문맥적인 해석을 무시하고 영적인 해석의 미명 아래 모든 부분에 상징과 비유를 도입합니다. 성경의 전체적인 가르침보다는 한 부분을 지나치게 강조하여 그 부분으로 성경 전체가 말하는 진리를 오도하게 합니다(벧후 1:20, 3:16).

9. 거짓 선생들이 구체적으로 하는 행동들은 어떠합니까? 이것은 오늘날 이단들이 하는 행동과 어떤 면에서 유사합니까?(벧후 2:18~19)

10. 거짓 선생들은 자신의 경제적인 이익과 육체적인 쾌락을 위해 성도들을 미혹하고 유혹합니다. 그들은 어떻게 비유되었습니까? 그리고 그 결말은 어떠합니까?(벧후 2:17)

11. 다음의 '바른 성경해석의 원리'를 읽고 요약, 정리하십시오.

〈바른 성경해석의 원리〉

성경은 인위적이거나 억지로 해석해서는 안 됩니다. 우리는 바른 성경해석의 방법을 통해서 이단들의 성경해석이 어떻게 잘못되어 있는지를 분별할 수 있어야 합니다. 성경해석의 원칙은 다음과 같습니다.

• 문맥적인 해석

단어는 문맥의 흐름 속에서 해석되어야 합니다. 전체 문장 속에서 이 단어가 쓰인 의미를 파악해야 합니다. 앞뒤의 문맥을 무시하고 한 문장만 뽑아내서 그것을 지나치게 강조하는 것은 잘못된 해석입니다. 단어는 전체의 문장 속에서 이해되어야 합니다.

• 책 유형에 따른 해석

성경은 여러 형식의 글들로 기록되어 있습니다. 시편은 시로 기록되었고, 역대기는 역사서, 바울 서신은 편지글이며, 계시록은 묵시 문학입니다. 먼저 그 기록 형식을 잘 이해해야 합니다. 시는 시로 이해하고 읽어야 하며, 문학적이거나 시적인 표현들도 주의해서 봐야 합니다. 묵시문학에는 상징과 비유가 많이 사용됩니다. 그러나 많은 이단들은 묵시문학에 사용되는 상징과 비유를 모든 성경에 적용하여 아전인수격인 해석을 시도합니다.

• 역사적인 해석

성경의 바른 해석을 위해서는 그 시대의 문화나 생활양식 등 역사를 바르게 아는 것이 중요합니다. 그 시대의 문화와 생활양식, 지형, 기후 등 역사적인 배경을 전혀 무시하고 현시대로만 해석하게 되면 무리가 따릅니다.

• 성경적인 해석

성경은 성경으로 해석해야 합니다. 구약은 신약을 통해 해석되고, 성경 한 부분에서 해석된 것은 다른 곳에서도 동일하게 적용되어야 합니다. 동일한 단어를 여기저기에서 자기 마음대로 해석하는 것은 잘못된 예입니다.

■ 적용질문 ■

이단들은 성도들을 미혹하기 위해 성경을 읽고 연구합니다. 그러나 우리들은 하나님의 말씀대로 살기 위해 성경을 읽습니다. 그러나 성경지식이 없으면 실천적인 삶도 살지 못하며, 이단에 미혹되기 쉽습니다. 듣기, 읽기, 암송, 공부하기, 그리고 묵상에 얼마나 많은 시간과 정성을 투자할 것인지 자신의 결단을 기록하고 나누십시오.

3과

기독론과 이단

[성경본문 / 요한일서 1-5장]

    요한 서신은 교회 안에서 발생한 이단들의 잘못된 사상을 바로잡아 예수님은 인간의 몸을 입고 오신 참인간이며, 동시에 참 하나님(신인양성론)임을 확립시켜 정통적인 기독론을 밝히려는 목적으로 기록되었습니다(요일 2:18~23; 4:1~3; 요이 7~11). 이단들은 육체로 오신 그리스도를 경시하며(요일1:8, 10 ; 2:6 ; 3:8~10), 그리스도의 육체를 하나의 환상으로 보았습니다(요일4:2-6). 이러한 영지주의 이단이 소아시아 지방에 발생하여 예수님의 육체로 오심을 부인하므로 사도 요한이 진리의 영과 미혹의 영을 엄격히 가려내기 위해(4:6) 요한 서신을 기록했습니다. 이번 과를 공부하기 이전에 요한일서의 기록 배경이 되는 영지주의에 대해서 먼저 살펴보도록 하겠습니다.

- **영지주의**(靈知主義, Gnosticism)

영지주의(Gnosticism)는 이원론적 사고를 갖게 합니다. 그들의 사상은 영의 세계는 선하며 물질의 세계는 악하다는 사상입니다. 이들은 하나님에게도 등급이 있는데 영계에 가까운 하나님이 참 하나님이고 물질계에 가까이 있는 신은 저급 신이며, 육체는 악하기 때문에 하나님이 사람으로 오실 수 없으며, 오시더라도 불결하다고 주장합니다. 그러기에 이들의 사상은 사람으로 오신 예수 그리스도를 부인하며, 그리스도의 구원사역을 부인합니다.

또한 육체가 악하고 영만 선하기 때문에 그들은 몸을 소중히 여기지 않으므로 극단적인 쾌락주의와 극단적인 금욕주의 형태의 모습을 나타내게 되었습니다. 이들의 영향으로 초대교회 성도들 중에는 예수님이 참 하나님이 아니라고 하는 사람들이 있었으며, 구원과 영생에 대해서도 흔들리게 되고, 육체적으로는 세상을 사랑하는 쾌락주의로 타락을 부추기는 결과를 가져왔습니다. 이러한 이유로 사도들은 영지주의 이단으로부터 바른 복음을 지켜 가야만 했습니다.

■ 예수 그리스도는 누구신가?

1. 예수님은 누구십니까? 요한일서에 나타난 말씀과 해당되는 내용을 연결해 보십시오.

요일 1:1 •   • 태초부터 계신 하나님

요일 5:5 •   • 하나님의 아들

요일 4:2 •   • 육체로 오신 하나님

＊ 도움말 – 요한이 전하는 복음과 예수님에 대한 분명한 선포를 통해 우리는 예수님은 참 하나님이시며, 참 사람이신 것을 알게 됩니다. 예수님은 인류를 구원하기 위해 이 땅에 사람으로 오신 참 하나님이십니다.

2. 사도 요한이 직접 보고 들었으며, 초대교회 성도들에게 전해준 복음은 영원한 생명을 하나님께서 주셨으며, 하나님과의 거룩한 사귐을 갖게 하기 위함이라고 했습니다(1:1-3). 우리의 거룩한 사귐은 누구와의 사귐입니까?(1:3)

3. 예수 그리스도의 인성(사람으로 오심)에 대해서 다른 성경에서는 어떻게 말씀하고 있습니까?(딤전 2:5)

* 도움말 – 여호와의 증인들은 이 구절을 오히려 예수님이 하나님이 아니시
라는 근거 구절로 인용하기도 합니다. 그러나 성경이 기록된 배경과 시대
적인 사상적 배경(영지주의 영향)과 기록자가 왜 이 부분을 강조했는지를 안
다면 그들의 주장이 잘못된 것을 알게 됩니다.

4. 무엇이 우리를 죄에서 구원합니까? 무엇이 죄인인 우리를 하나님
과의 거룩한 사귐의 관계로 이끌며, 영원한 생명을 가져다주었습
니까?(1:7)

5. 누구에게 영원한 생명이 있습니까? 영생에 관해 성경이 말하는 명
백한 증거는 무엇입니까?(5:11~12)

6. 육체로 오신 예수 그리스도를 시인하는 것과 부인하는 것은 영적
인 부분의 문제이기도 합니다. 사람이신 그리스도를 부인하는 것
은 무엇 때문입니까?(4:2~3)

7. 교묘한 속임수와 거짓으로 다가오는 이단들이 많은 세대입니다.
   우리는 어떤 자세를 취해야 합니까?(3:7)

⟨기독론에 관련된 이단사상⟩

· 영지주의(靈知主義, Gnosticism)

하나님이 사람으로 오실 수 없다고 보아, 사람으로 오신 그리스도
를 부인하는 이단사상입니다.

· 양태론(樣態論, Modalism)

유일하신 하나님이 강조되어 하나님은 한 분이신데, 성자 예수님은
하나님이 다른 모습으로 이 땅에 오셨다고 봅니다. 또한, 예수님이 성
령님의 모습으로 변했다고 봅니다. 한 하나님이 다른 모습으로 변했
다고 주장합니다. 그러나 성경은 한 하나님이시지만 세 위가 있는 삼
위일체의 하나님을 말씀하고 있습니다.

· 양자론(養子論, Adoptianism)

예수님은 평범한 사람인데 성령님께서 기름 부으심으로 메시아가
되었고 하나님께서 양자로 삼으셨다는 사상인데, 여호와의 증인과 같
은 이단들의 주장입니다. 성경은 예수님이 참 사람의 모습으로 이 땅
에 오신 하나님이심을 말씀해 주십니다.

• 반신반인론(半神半人論)

예수님의 절반은 사람이고 절반은 신이라고 보는 주장입니다. 그러나 성경은 예수님은 참 하나님이시며, 참 사람이라고 말씀하고 있습니다.

• 가현설(假顯說, Docetism)

예수님이 이 땅에 계신 동안 사람이 아니라, 잠시 환상으로 보인 것이라는 주장입니다. 그러나 성경은 예수님은 참 사람으로 이땅에 오셨다고 증거합니다.

8. 영지주의와 같은 이단은 사람이신 그리스도를 부인했습니다. 한편, 여호와의 증인들은 예수 그리스도가 하나님이 아니라 사람이라고 합니다. 성경은 이에 대해 어떻게 말씀하고 있습니까?(요일 5:20)

9. 예수님께서 이 땅에 오신 여러 가지 목적 중 한 가지는 무엇입니까?(3:8)

＊ 도움말 – 이단들은 한 부분을 지나치게 강조하는 경향이 많습니다. 마귀론을 추종하는 이단들은 이 구절을 근거구절로 사용하여 지나치게 강조합니다.

10. 마귀의 자녀들은 어떤 행동의 특징들을 지니고 있습니까?(3:10)

11. 어두움 가운데 살면 어떤 현상이 발생합니까?(2:11)

12. 영지주의 영향으로 육체를 소홀하게 생각한 그들은 극단적인 쾌락주의와 금욕주의에 빠지게 되었습니다. 그들이 사랑한 이 세상 것들은 어떤 것들입니까?(2:16, 17)

13. 그리스도인들은 무엇을 어떻게 사랑해야 합니까? 다음 구절들의 내용을 요약 정리해 보십시오.

   1) 요한일서 3:18 -

   2) 요한일서 3:23 -

초대교회 때 베드로의 설교 핵심은 예수 그리스도가 누구신가 였습니다. 예수님은 우리 개인의 구주(Savior)와 주님(Lord)이십니다.

예수님은 우리의 삶의 중심입니다. 그러므로 예수님이 누구신지 자신의 입으로 명백하게 증거할 수 있어야 합니다. 성경적인 사실과 자신의 신앙고백의 내용을 포함하여 예수님은 누구신가에 대해 기록한 후 그것을 나누어 보시기 바랍니다.

4과

성령론과 이단

이단들은 성령 하나님에 대해서 하나님이 아니라, 단순한 영향력이나 힘이라고 말합니다. 또한, 어떤 이단들은 성령사역을 너무 강조하여 성부, 성자 하나님을 비하하기도 합니다. 그리고 자신이 살아 있는 성령이라고 주장하는 신비주의자들도 있습니다. 이번 과에서는 성령님에 대해서 배워 보도록 하겠습니다.

■ 하나님의 속성

성령님이 단순한 영향력인지 하나님인지를 알기 위해 먼저 성령님이 가지신 신적인 속성에 대해서 살펴보겠습니다.

1. 하나님은 영원하신 분이십니다. 성령님에 대해서 성경은 어떻게 말씀하고 있습니까?(히 9:14)

2. 하나님은 모든 것을 아십니다. 성령님에 대해서 성경은 어떻게 말씀하고 있습니까?(고전 2:10, 11, 요 14:26)

3. 하나님은 전능하신 분이십니다. 성령님에 대해서 성경은 어떻게 말씀하고 있습니까?(눅 1:35)

4. 하나님은 편재하십니다. 성령님에 대해서 성경은 어떻게 말씀하고 있습니까?(시 139:7-10)

〈우리를 위해 기도하시는 성령님〉

"이와같이 성령도 우리 연약함을 도우시나니 우리가 마땅히 빌 바를 알지 못하나 오직 성령이 말할 수 없는 탄식으로 우리를 위하여 친히 간구하시느니라"(롬 8:26).

성령님이 힘이나 영향력이라면 말할 수 없는 탄식으로 우리를 위해 간구하실 수 없을 것입니다.

5. 하나님은 천지를 창조하셨습니다. 성령님에 대해서 성경은 어떻게 말씀하고 있습니까?(창 1:2, 시 104:30)

6. 하나님은 사람을 죄에서 구원하여 거듭나게 하십니다. 성령님에 대해서 성경은 어떻게 말씀하고 있습니까?(요 3:5)

7. 하나님은 죽은 자를 살리십니다. 성령님에 대해서 성경은 어떻게 말씀하고 있습니까?(롬 8:11)

〈성령님은 권능을 주시며 거룩케 하신다〉

성령님은 우리에게 권능을 주십니다. 우리는 성령님께서 주시는 권능으로 땅끝까지 주님의 증인이 되는 사명을 온전히 감당하게 됩니다(행 1:8). 또한, 성령님은 우리를 거룩케 하십니다. 성령님이 우리 안에 거하시기에 우리의 몸은 거룩한 성전이 됩니다(고전 3:16).

8. 성경은 성령님에 대해 어떤 명령을 주십니까? 다음 구절들을 통해
   서 성령님에 대한 명령을 기록해 보십시오.

   1) 에베소서 5:18 -

   2) 갈라디아서 5:16 -

   3) 에베소서 4:30 -

9. 나무는 그 열매로 안다고 하셨습니다. 성령충만의 증거도 삶의 인
   격적인 변화와 열매로 나타나게 될 것입니다. 성령충만의 증거로
   나타나는 열매는 무엇입니까?(갈 5:22, 23)

■ 적용질문 ■

  어거스틴은 삼위일체론을 기록하면서 삼위일체는 논쟁의 대상이
아니라 신앙고백의 대상이라고 했습니다. 성령충만한 그리스도인으
로 살기 위해 기도하며, 하나님께서 기뻐하시는 삶의 모습이 무엇인
지 생각해 보고 각자의 삶에 적용해 보십시오.

5과

구원론과 이단

[성경본문 / 갈라디아서 1-2장]

이단 중에 성경말씀을 근거로 하는 이단들은 구별도 쉽지 않고 미혹의 정도가 심하여 성도들의 가정과 교회에 막대한 피해를 끼칩니다. 이번 과에서는 구원파의 잘못된 사상에 대해서 배워 보겠습니다.

1. 하늘에서 내려온 천사라 할지라도 다른 복음을 전한다면 어떻게 됩니까?(1:8, 9)

2. 다른 복음은 어떤 특성을 갖고 있습니까?(1:7)

3. 바울이 전한 바른 복음은 어디로부터 왔습니까?(1:11, 12)

4. 이미 복음이 전파된 교회에서 성도들을 미혹하는 자들은 누구입니까?(2:4)

5. 우리들은 어떻게 구원을 받게 되었습니까?(2:16)

6. 성경은 구원을 오직 믿음을 통해 하나님의 은혜로 받는다고 가르칩니다. 그러나 거짓 복음을 전하는 자들은 구원을 받는 데 믿음 외에 다른 것들이 필요하다고 가르칩니다. 만일 구원받는 데 믿음 이외에 다른 것들(율법)이 필요하다면 어떤 중대한 오류가 발생합니까? (2:21)

〈거짓 복음〉

초대교회 거짓 선생들은 구원받기 위해서는 믿음 외에 다른 외적인 행위가 필요하다고 가르쳤습니다. 그들은 율법을 지키거나 할례를 받거나 율법에 따른 음식법들을 지켜야 한다고 가르쳤습니다. 현시대의 구원론을 강조하는 이단들 역시, 구원을 받는 데 있어서는 자기들의 교회에서 자기들의 방식들이 가미되어야 한다고 주장합니다. 그러나 구원은 우리의 믿음을 보시는 하나님의 은혜로 이루어집니다.

7. 구원을 받기 위해 어떤 과정이 필요합니까? 구원파에서는 구원받기 위해서는 회개보다도 깨달음이 필요하다고 합니다. 이에 대한 성경적인 답변은 무엇입니까?(행 2:38, 고후 7:10)

〈구원의 과정〉

구원은 칭의(의롭다고 칭해주심) - 성화(거룩하게 되어감) - 영화(영화롭게 됨)의 과정을 거치게 됩니다. 칭의는 죄인인 우리가 예수님이 대신 죽으셨다는 것을 믿음으로써 얻게 되는 구원의 시작입니다. 이것은 법정적 칭의, 즉 우리가 죄인임에도 불구하고 의인으로 선포해 주시면서 의인으로 살게 하셨습니다. 그래서 구원받은 자들은 성화의 과정, 거룩을 이루는 삶, 예수님을 닮아가는 삶을 이뤄 갑니다. 그러나 이단들의 가르침은 구원의 시작 부분을 지나치게 강조하며 변형, 왜곡하고 성화로서의 삶을 부인하는 결과를 낳습니다.

8. 구원파는 구원 이후 계속되는 회개는 구원받지 못한 증거라고 합니다. 구원(법정적 칭의) 이후 신의 성품에 참예하기 위해 계속되는 회개에 대해서 성경은 어떻게 말씀하고 있습니까? 믿는 자의 반복되는 회개에 대해 어떻게 말씀하고 있습니까?(고후 7:10, 계 3:19)

〈구원파에서 자주 사용하는 질문들과 내용〉

그들의 주장 – 구원받은 날짜를 알지 못하면 구원받지 못한 것이다.

성경적 답변 – 믿음으로 구원받는다(롬 1:17).

믿음 외에 구원을 위해 더 필요한 것은 없다.

그들의 주장 – 스스로 죄인이라고 고백하면 지옥에 간다.

성경적 답변 – 베드로도 죄인임을 고백했다(눅 5:8).

사도 바울도 자신이 죄인 중의 괴수라고 고백했다(딤전 1:15).

그들의 주장 – 구원은 회개가 아니라 깨달음으로 얻는다. 회개하면 죄가 씻기는 것이 아니다. 회개해서 죄를 씻는 것은 성경적인 방법이 아니다.

성경적 답변 – 자백하면 깨끗케 하신다(요일 1:9).

회개는 믿음의 증거다(행 20:21).

그들의 주장 – 한번 깨달은 후에 계속 회개하는 것은 죄사함을 받지 못한 것이다.

성경적 답변 – 성도들이 죄를 고백해야 할 필요성을 말씀하신다.(요일 1:9).

주기도문은 성도가 반복해서 드려야 하는 기도의 모범이다. 여기서 죄 지은 자의 사함에 대해 말씀하고 계신다(구원파는 이 기도를 드리지 않는다. 마 6:12, 14, 15).

그들의 주장 – 구원받은 그리스도인은 하나님의 은혜로 보호되기 때문에 육신적으로 어떻게 살든 구원에 영향을 미치지 않는다.

성경적 답변 – 구원 이후의 삶(성화의 과정)을 무시하여 도덕폐기론자가 되며, 육은 악하며 영은 선하다는 초대교회 영지주의 사상과 니골라당(계 2:6,15)과 유사하다.

■ 적용질문 ■

구원파에 미혹된 사람들을 돕기 위해 필요한 구원에 관련된 교리들을 찾아보고, 아래에 추천한 책을 활용하여 정리하기 바랍니다.

<참고 및 추천도서>
– '박옥수, 이요한, 유병언의 구원파를 왜 이단이라 하는가?' (정동섭 지음/ 죠이선교회출판부)

종말론과 이단

[성경본문 / 마태복음 24장, 데살로니가전서 5장]

종말론을 추종하는 이단들은 사회가 혼란스럽거나 경제가 어려울 때 가장 많이 극성을 부립니다. 예수님의 재림의 때를 알고 있다고 현혹하여 성도들을 미혹할 뿐 아니라, 가정과 사회에 큰 파장을 불러 일으킵니다. 이번 과에서는 종말론의 문제점에 대해서 배워 보도록 하겠습니다.

1. 말세에 어떤 징조들이 있습니까?(마 24:3-13)

2. 예수님의 재림은 세상 사람들이 평안하다, 안전하다고 말할 때 잉 태된 여자에게 해산의 고통이 이름같이 임한다고 했습니다. 왜 재 림을 잉태한 여자의 해산에 비유하여 설명하였을까요?(살전 5:2, 3)

3. 재림하시는 예수님의 모습에 대해서 성경은 어떻게 설명하고 있습니까? 이 모습은 초림 예수님과 어떻게 다릅니까?(살전 4:16, 행 1:11)

* 도움말 – 예수님은 재림하실 때 우리 눈으로 볼 수 있도록 나타나신다고 성경은 말씀합니다. 그러나 자칭 재림주라고 주장하는 이단들은 이 구절들을 상징과 비유로 해석하여 자신이 메시아의 사명을 갖고 있다고 주장합니다.

4. 오늘날 자신이 재림주라고 주장하는 이단들은 숫자가 파악되지 않을 정도로 많습니다. 자신이 재림주라고 주장하는 이단과 교주들로는 어떤 사람들이 있습니까?

5. 예수님께서 다시 오시면 어떤 일들을 하십니까?(마 25:32, 33, 요 14:3)

6. 종말론자들은 성경에 나타난 숫자들(다니엘서나 요한계시록)을 인용하여 예수님의 재림의 날짜를 예언합니다. 재림의 일시에 대해서 예수님은 어떻게 말씀하셨습니까?(마 24:36)

7. 데살로니가 교회가 예수님의 재림을 사모하게 된 이유는 무엇 때문이었습니까?(살전 3:3, 4)

* 도움말 – 데살로니가 교회는 심한 핍박 가운데 놓여 있었으며 이러한 환란은 예수님의 재림을 고대하는 신앙으로 이어졌습니다. 사도바울은 재림을 사모하는 것은 인정하나 그 방법과 과정의 잘못된 것은 지적해 주었습니다.

8. 만일 하나님께서 재림의 일시를 알려 주셨다면 어떤 문제가 발생하게 될까요? 바울이 데살로니가 성도들에게 명하는 내용들을 중심으로 종말론이 갖는 문제점과 이에 대한 성경의 답변을 기록해 보십시오.

말씀	일어난 일	성경적인 답변
살전 4:3 ~ 6	자기의 욕심에 따라 음란한 일을 행함	
살전 4:11	일을 하지 않고 게으르게 지냄	
살전 4:13 ~ 18	종말에 대한 오해로 슬픔에 잠긴 사람들도 있음	

9. 사회가 혼란스럽거나 불안해져서 종말론이 대두되게 될 때 건강한
   교회와 그리스도인들은 어떤 자세로 사회를 보아야 합니까?(살전
   5:14, 15)

〈재림의 때는 알 수 없다〉

　종말론자들은 아모스 3장 7절 즉, "주 여호와께서는 자기의 비밀을
그 종 선지자들에게 보이지 아니하시고는 결코 행하심이 없으시리
라"는 말씀을 근거로 하나님께서 자신들에게 꿈이나 환상으로 일시
를 알리신다고 주장합니다. 또 다른 주장들은 요한계시록과 다니엘서
에 등장하는 때와 숫자에 법칙을 부여하고 자의적으로 해석하여 일
시를 유추해 낸 것들입니다. 그러나 때와 시에 관해서는 예수님께서
명확하게 말씀하셨습니다. 우리가 관심을 가져야 할 부분은 때와 시
에 관한 것이 아니라, 성도로서의 거룩한 삶입니다(마 24:36).

10. 마지막 날이 가까워 올수록 성도들은 어떤 자세로 살아야 합니까?
    다음 구절들을 읽고 성경에서 명하신 내용들을 기록하십시오.

성경구절	우리 삶의 자세
데살로니가전서 4:11~13	
데살로니가전서 4:14	
데살로니가전서 4:16~18	

11. 예수님의 재림이 가까워 올수록 윤리적인 타락은 극에 달하게 됩니다. 그래서 많은 성도들이 미혹되거나 본분을 떠나 거룩을 상실하기도 합니다. 우리를 거룩하게 하신 하나님께서 재림 때까지 원하시는 우리의 모습은 어떤 모습입니까?(살전 5:23)

■ 적용질문 ■

사회가 어수선하고 예수님의 재림에 대한 소식들이 많아지고 주변에 종말론자들이 많이 생겨나는 환경이 발생한다면, 그때 어떤 삶의 자세로 살 것인지 공부한 내용을 토대로 자신이 실천할 수 있는 결단을 기록해 보십시오.

CHAPTER 3장

한국의 주요 이단들

1. 무료성경신학원 (신천지)

2. 구원파 (박옥수)

3. 하나님의 교회 (안상홍 증인회)

4. 통일교 (문선명)

5. 기독교복음선교회 (정명석 JMS)

6. 여호와의 증인 (왕국회관)

1. 무료성경신학원(신천지)

이단 정체

　교주 이만희는 1931년 9월 15일 경북 청도에서 출생하였으며 박태선의 신앙촌의 영향을 받았다. 1990년 6월 12일 서울 서초구 방배동에 신학교육원을 설립하여 무료성경신학원을 출범하였다. 이들은 아전인수격으로 성경을 해석하며, 특히 비유 해석을 통해, 무차별적으로 교회와 성도들을 미혹하고 공격하는 가장 극성스러운 이단이다. 통합(1994년)을 비롯 전 교단으로부터 이단으로 규정되었다. 2007년 5월 8일 MBC PD수첩에서 그 문제점이 보도되었다.

1. 교주 이만희　2. 홍보 전단지　3. 신천지 심볼　4. 수영로 교회에 난립한 신천지 신도들

이단 사상

1) 하나님의 창조 부인 – 그들은 하나님의 '무에서 유를 창조한 것'을 부인하고 가인의 아내를 들어 아담 이전에도 인간이 존재했다는 설을 주장합니다.

2) 비유만 강조하는 성경해석 – 무료성경신학원에서는 성경해석의 잣대로 비유를 강조하다보니 '비유를 깨닫지 못한 사람들은 구원받지 못한 이들'이라고 주장합니다. 성경은 이방인이나 불신자에게 하신 말씀이 아니라고 하면서 모든 성경이 상징과 비유, 비사만으로 기록되었다고 주장합니다.

3) 하나님의 이적을 믿지 않음 – 예수님의 동정녀 탄생이나 물위를 걸으신 기적이나 오병이어로 먹이신 이적을 믿지 않습니다.

4) 지상천국을 믿음 – 14만 4천명(계 14:1-5)을 숫자 그대로 믿으며, 이 숫자가 인을 다 받게 되면 마침내 사탄은 없어지고 이 땅에 지상천국이 이루어진다고 주장을 합니다.

5) 삼위일체 하나님을 부인 – 예수님은 이미 말씀으로 재림을 하셨고, 이만희 자신이 성령이라고 하며, 신자들도 보혜사라고 하는 등 성령님을 모독하고 있습니다.

6) 자신들만 구원을 받는다고 주장 – 예수를 믿음으로 구원을 얻는 것이 아니라 사도 요한적인 사명자(보혜사)의 말씀을 듣고 지켜야만 영생에 이르며 요한으로 말미암지 않고서는 예수님에게 올 수 없다고 주장합니다. 이에 따라 자신을 예수와 동등한 대언자,

또는 사도 요한적인 보혜사로 암시하고 있어 자신을 통하여 구원이 이루어진다고 합니다.

7) 자신이 계시를 받았다고 주장 – 이 씨는 마태복음 24장과 요한계시록만 새 언약이며 그 외 신약과 구약은 무효라고 주장하며, 자신이 그런 계시를 받았다고 합니다. 고등과정에서는 자신을 재림예수라고 신격화합니다.

8) 기성교회에는 구원이 없는 것으로 비난 – 교회와 목사들을 '우상'이라고 하고, 자신들만 '참된 神學'을 했고 다른 목사들은 '人學'을 했다고 비난하며 "기성교회에 드리는 헌금은 죽은 무덤에 드리는 것이므로 참 목사인 자신들에게 드려야 한다."고 주장을 합니다.

교회침투시 사용하는 방법

교회에서 이런 질문을 자주하면 요사이 한국교회를 어지럽히고 무너뜨리는 대표적인 이단집단인 신천지 이단일 가능성이 높습니다.

1) "목사님이나 교회 리더 말이라고 다 믿으면 안돼!"(접근 질문)

– 목사나 교회 리더들에 대해서 불신을 싹트게 만듭니다.(숨은 의도)

2) "가톨릭이 부패한 것처럼 요즘 교회도 썩었어. 우리 교회도 문제가 많아. 그렇지 않아?"

– 교회에 대한 불만과 불평을 품게 합니다.

3) "어제 내 꿈에 당신이 힘들어 하는 꿈을 꿨어. 요즈음 뭐 어려운
   일 있어?"

   - 그 사람을 위하는 것처럼 신비적 감성을 이용해 접근합니다.

4) "성경에 대해 궁금하지 않아? 나랑 일주일에 한 번 공부하면 어때?"

   - 이단 사상의 접촉점을 만들기 위하여 자신들과 성경공부를
     하자고 유도합니다.

5) "주여, 주여 하는 자마다 천국에 갈 수 없다고 하던데 천국에 갈
   확신 있어?"

   - 구원과 믿음에 의심을 불어넣습니다.

6) "요한계시록에 대해 궁금하지 않아? 세상의 종말이 어떻게 될
   것 같아?"

   - 요한계시록을 정확히 해석할 수 있는 것처럼 공부하자며 접
     근 합니다.

7) "내가 성경을 잘 아는 사람을 소개시켜 줄 테니까 성경을 공부해
   보지 않을래?"

   - 교회 밖에서 성경공부를 하자며 미혹합니다.

8) "나 힘들고 외로워. 친구가 되어 줄래?" 책을 사 준 후 "이 책 읽
   어 봤어?"

   - 평상시 친분이 없는 사람들과 인간관계를 맺습니다.

9) "열 처녀 비유에 대해서 어떻게 생각해? 준비한다는 것은 무슨
   뜻이야?"

– 믿음이 있는 것처럼 가장하여 성경의 비유에 관한 질문으로 미혹합니다.

10) "아담 이전에도 사람이 있었다는 것 알아?"

– 성경의 난제들에 대해 질문하며 궁금증과 호기심을 유발합니다.

11) "무료로 성경을 배워보지 않겠어?" "설문조사하는 아르바이트 해 보지 않을래?"

– 아르바이트를 제공하는 듯한 후에 성경공부를 하자고 접근합니다.

출판물 및 관련 단체

무료성경신학원은 천의 얼굴이라는 별명을 가질 만큼 수 많은 명칭을 붙여 가며 활동합니다. '시온기독교신학원', '무료성경신학원', '평신도성경교육원' 등의 신학원을 강조하였으나 근래에는 '대한 예수교교역자선교협의회', '세계교역자연합선교회', '세계복음화 선교협의회' 등의 단체 이름을 앞세워 기성교회 교인들을 미혹합니다.

문제점

1) 교회에 침투하여 성도들을 미혹 – 그들의 책자 '신나는 천사들의 추수방법'에는 기존 성도들을 미혹하는 방법이 나옵니다. 타교인 추수하기, 자기 교인 추수하기, 성공 사례 등 미혹의 방법들을 세밀하게 소개하고 있습니다. 그들은 공격대상을 삼기 위해 교회를 방문하여 그 교회의 소속 성도 수, 성도들의 예배 반응 등을 잘 살펴서 활동하기에 적합한 추수 대상교회를 선정합니다. 성도 수가 100-200명 정도 규모의 교회, 목회자나 전도사가 없는 교회, 내분이 있는 교회, 여목사나 전도사가 담임하고 있는 교회, 성도 관리가 소홀한 교회 등이 공격대상이 됩니다.

2) 캠퍼스에 기독교를 가장한 동아리나 성경공부 모임으로 미혹 – 기독교를 가장한 동아리를 만들거나 성경공부나 QT 모임으로 미혹합니다. 또는, 신천지 소속을 속이고 건전한 기독교 선교 단체에 들어가서 단체 자체를 무너뜨리기도 합니다.

3) 설문조사 및 봉사활동으로 미혹 – 기독교 관련 설문조사, 설문조사 아르바이트, 혹은 봉사활동 명분으로 성도들을 미혹합니다.

주의점

1) 이들의 목표는 교회를 부수는 것이며, 성도들을 미혹하는 것입니다. 자신의 신분을 숨기고 교회에 침투하여 교회를 공격하므로 교회에서 새신자 관리에 더욱더 주의를 기울여야 합니다.

2) 교회를 비판하거나, 목회자와 교회지도자들을 욕하거나, 아르바이트, 또는 무료성경공부로 유혹하는 예들을 조기에 발견, 색출하여 쫓아 내어야 합니다.

3) 이들은 교묘한 속임수와 거짓말을 일삼으며 교회침투도 조직적으로 하기 때문에 세밀한 관찰이 필요합니다.

4) 성도들이 교회가 아닌 다른 곳에서 성경공부를 할 경우 교역자들에게 보고하여, 검증받은 후 공부에 참석하도록 지도해야 합니다.

※ 월간 현대종교에서 발행한 "신천지와 하나님의 교회의 정체"가 신천지 집단의 정체를 밝히는데 도움이 됩니다.

2. 구원파

이단 정체

미국선교사 딕욕(Dick York)의 영향을 받아 사위 유병언 등과 장인 권신찬이 함께 1961년 대구에서 시작하였다. 현재 유병언을 대표로 하는 권신찬 계열(기독교복음침례회),이요한 계열(대한예수교침례회), 박옥수 계열(대한예수교복음침례회)로 분파되었다. 특히 박옥수 계열은 기쁜소식 선교회라는 단체로 활동하고 신문과 방송매체를 통한 '죄사함과 거듭남의 비밀'이라는 제목으로 크게 홍보하며 체육관을 빌려 성경세미나를 개최하여 세력을 과시하는 등 성도들과 교회를 미혹하고 있다.

1985(기성), 1991(고신), 1992(합동,통합,합신)에서 유병언, 이요한 그리고 박옥수 씨의 구원파를 이단으로 규정했다.

1. 집회 홍보 광고 2. 대학가 전단지 3. 세미나 현수막 4. 구원파 집회

이단 사상

1) 하나님은 인격이 아닌 영이라고 가르칩니다. 하나님을 인격적인 존재로 믿지 않고, 이신론적 존재로 격하시킵니다. 하나님은 영이시라는 사실만을 강조하여, 하나님을 주로 인류역사, 특히 중동정세를 주관하는 비인격적이고 추상적인 힘으로 부각시킵니다. 구원파에서 전하는 하나님은 기계적으로 그의 계획을 성취하시는 이신론적인 존재일 뿐, 우리를 사랑하셔서 개인적으로 인도하시고 섭리하시는 인격적인 하나님이 아닙니다. 따라서 그들은 하나님의 영성을 강조하고 인격성을 부인하거나 격하시킵니다.

2) 이들은 깨달음을 통해서 구원받고, 구원받은 후에는 회개가 필요 없으며, 구원이 하나님의 절대주권적인 은총이라는 사상을 거의 가지고 있지 않습니다. 회개하면 죄가 씻어진다는 말은 성경에 없으며, 회개해서 죄를 씻는 것도 성경적인 방법이 아니라고 주장합니다('죄사함 거듭남의 비밀 2', 기쁜소식사, 1993, p.50). 그러나 다윗은 시편 51편 4절에서 회개하고 있으며, 사무엘하 24장 10절에서도 다윗은 죄 용서를 구하고 있으며, 주기도문에서 예수님은 우리 죄를 사해 달라는 기도를 가르치셨습니다.

3) 구원에 회개와 믿음이 빠져 있습니다. 유병언과 이요한, 박옥수의 구원관에는 의지적인 회개와 결단으로서의 믿음(신뢰)이 빠져 있습니다. 구원파는 수동적으로 죄사함을 깨닫기만 하면 구원을

받는다고 잘못 가르치고 있습니다.

하나님의 사랑은 무조건적인 것이지만 구원과 용서는 조건적인 것입니다. 회개하고 믿는 죄인들만 용서함을 받습니다. 그의 이름으로 죄사함을 얻게 하는 회개가 전파되었습니다(눅 24:47, 행 17:30, 20:21). 구원에는 하나님께 대한 회개와 우리 주 예수 그리스도께 대한 믿음이 필수조건입니다(행 20:21). 그런데 이들은 이를 간과하고 있습니다.

4) 이들은 구원받은 날짜와 장소를 알아야 구원받는다고 합니다. 성경은 바울이나 삭개오, 간수장과 같이 즉각적인 구원을 받은 사람들에 대하여 말하고 있습니다. 그러나 디모데, 빌리 그래이엄 목사 사모님, 옥한흠 목사와 같이 회심(回心)한 년월일시를 기억하지 못하지만 점진적으로 하나님의 나라에 들어온 사람들이 있습니다. 그러나 박옥수는 점진적 회심을 인정하지 않습니다. 그러나 어떻게 구원받았느냐 하는 것만 중요한 것이 아니라, 내가 지금 하나님의 나라에 들어와 그리스도 안에서 하나님과 인격적인 관계를 누리고 있느냐 하는 것이 중요합니다.

5) 박옥수는 구원을 확증하는 목적과 방법이 잘못되었습니다. 구원은 하나님의 절대 주권에 속한 것이며, 또한 우리가 스스로 하나님께서 주신 구원을 믿음으로 확증할 수 있습니다. 그러나 인간의 확신은 결코 절대적일 수 없음에도 불구하고 자신들의 집단에 속한 자들만이 구원받은 것처럼 생각하여 구원을 확증하거

나, 자신들의 구원 확증 방법만이 구원을 좌우하는 것처럼 생각하는 것은 비성경적이요, 사탄적인 것이 아닐 수 없습니다.

출판물 및 관련 단체

'기쁜소식', '새길', '생명의 빛' 등을 발간하고, '박옥수의 성경 세미나' 등을 개최하여 미혹케 합니다. 유병언이 대표로 있는 (주)세모를 통해 활발한 기업 활동을 합니다.

주의점

1) '거듭남과 죄사함의 비밀' 등 박옥수의 세미나를 신문과 메스컴을 통해 대대적으로 홍보하는데, 이에 성도들이 미혹될 수 있으므로 사전에 말씀훈련을 통해 이단 모임에 참석하지 못하도록 해야 합니다.

2) 신앙이 어린 성도들에게 구원 강박증이나 구원 공포감을 조장하여 미혹하므로 구원파의 실체에 대한 바른 교육이 필요합니다.

3) 대한예수교침례회, 기독교복음침례회 등 교단 이름을 사용하나 정통침례교(기독교한국침례회)와는 무관한 사이비 침례교입니다.

3. 하나님의 교회(안상홍 증인회)

이단 정체

안상홍(1918-1985)은 1947년 제칠일안식일예수재림교에 입교 하였다. 1953년 예수재림 시기를 주장하는 '시기파' 운동에 참여 했다가 1962년 교단으로부터 탈퇴하여 1964년 부산에서 '하나님의 교회 예수 증인회'를 창립하였다.

1985년 안상홍이 사망하자 총회장인 김주철과 하늘 어머니라 불리는 장길자를 주축으로 성도들을 미혹하고 있다. 이들은 거리에서 설문지를 통한 설문지 포교를 하는데 설문지 내용이 '교회의 십자가', '성탄절', '세상종말에 대한 견해', '오늘날 기독교에 대한 인식' 등으로 되어 있다.

1.교주 안상홍 생전 모습 2.집회 3.홍보 전단지 4.보도에 대한 항의 시위

현재 하나님의 신부라 자칭하는 장길자(여)가 교주이며, '하나님의 교회 안상홍 증인회', '하나님의 교회 세계복음선교협회'로 개명하였다. 안상홍의 재림을 기다리며, 본부는 서울 관악구 봉천동에 있다. 2000(한기총), 2002(통합)에서 이단으로 규정하였다.

이단사상

1) 교주 안상홍은 죽었으나 그들은 안상홍을 하나님이라고 섬기며 그의 재림을 기다리고 있습니다. 또한 안상홍이 예수님이라고 합니다. 예수님은 다윗의 위(位)로 왔는데 다윗의 재위 기간은 40년이었고, 예수님은 공생애 3년 만에 돌아가셨으니 나머지 37년을 채워야 한다는 것입니다. 안상홍은 30세에 안식교에서 침례를 받고 67세에 죽었으니 재림 예수가 확실하다고 합니다.

2) 종말론이 잘못되어 있습니다. 1988년 종말이 오며 14만 4천 명이 외에 모조리 멸망한다고 주장하여 충남 연기군 소정면 전의산에 모여 안상홍 재림을 준비한 바 있습니다. 이들은 지속적으로 해를 바꿔가며 시한부종말론을 성도들에게 유포하여 신도들의 가족으로부터 항의를 받아 1999년 7월 15일 KBS 시사고발 프로그램인 '추적60분'에 방영되기도 했습니다.

3) 구원관이 잘못되어 있습니다. 예수님의 이름만으로 구원받을 수 없고 성령을 앎으로 인침을 받고 유월절을 지켜야 구원을 받는다고 주장합니다. 성령 시대인 이 시대는 보혜사 성령으로 온 안상홍

하나님의 이름으로 구원을 받는다(14만 4천명)고 주장합니다.

4) 안식교의 영향을 받고 있습니다. 토요일을 안식일로 지켜야 하고, 성탄절을 지키지 말아야 하고, 십자가는 우상이므로 철거해야 하고, 유월절, 무교절, 칠칠절, 나팔절 등을 철저하게 지켜야 한다고 합니다.

출판물 및 관련 단체

멜기세덱출판사를 운영하고 있으며, 월간 '십사만사천'과 '하나님의 비밀과 생명수의 샘' 등의 책이 출간되었습니다. 안상홍 증인회, 세계복음화선교협의회의 명칭도 가지고 있습니다.

주의점

1) 십자가를 철폐해야 한다, 성탄절을 지키지 않는다는 등의 주장은 젊은이들로 하여금 교회 신앙의 바른 개혁의 길로 가는 것처럼 착각하게 만들어 미혹하고 있습니다.

2) 안상홍에 대한 잘못된 우상화와 신격화, 잘못된 종말관으로인한 과격 행동으로 사회적 물의를 일으키기도 했습니다.

3) 최근 사회 봉사활동과 스포츠 행사시 서포터즈 활동으로 각 기관 표창을 많이 받았으며, 대사회적인 긍정적 이미지를 부각하려고 애를 쓰며, 봉사를 매개로 청소년들과 젊은이들을 미혹하며, 대학가에도 침투하고 있어 주의가 요구됩니다.

4. 통일교(문선명)

이단 정체

세계기독교통일신령협회 창시자 문선명(1920-)은 평북 정주군에서 태어나서 15세에 집안가족의 정신이상으로 온 가정이 기독교를 믿게 되었다. 이후 신비주의의 영향을 받고 1945년 경기도 파주군 임진면에 있는 김백문의 이스라엘 수도원에 6개월간 몸을 담았는데, 이동안 김백문의 '기독교 근본 원리'를 배웠다. 1954년 서울에서 '세계기독교통일신령협회'를 시작하였으며, 사상적 토대인 '원리강론'을 발간하고, 1966년에 '전국대학원리연구회', 1968년에 '국제 승공연합'을 창설하여 반공교육을 강화하였으며, 정부의 적극적인 지원을 받아 군수산업 및 주요산업을 확장하는 기회로 삼았다.

1. 교주 문선명 2. 평화통일대회 3. Peace Cup 홍보물 4. 합동결혼식

1973년에는 '전국평화교수협의회'를 창립하고 1962년 창립한 리틀엔젤스를 운영하고 있다. 1968년 말부터 초교파운동본부를 결성하여 기성교회와 교인들을 포섭하여 마찰이 있었다. 이 외에도 '세계반공연맹', '국제승공연합'의 조직을 가지고 있으며, 최근에는 '청소년순결운동본부'를 조직하여 활동하고 있다.

통일교는 창설초기부터 전 교단에 의해 이단으로 규정되었다.

이단 사상

통일교 교리의 핵심은 문선명이 재림주며 하나님이라는 것으로, 그 외는 원리강론을 통해 온갖 것을 혼합하여 해석하고 있어 일반 성도들은 이해하려고 해도 이해가 잘 되지 않습니다. 그들의 잘못된 교리는 다음과 같습니다.

1) 자체 교리서인 '원리강론'을 통해 성경을 해석하여 성경을 자의적으로 해석하는 잘못을 범하고 있습니다.

2) 통일교는 동방 재림주설을 주장하며 문선명이 재림예수라고 합니다.

3) 하나님에 대한 신론이 잘못되었습니다. 하나님은 양성과 음성을 모두 가지고 있으며, 하나님은 그로부터 우주를 만드셨는데 우주는 하나님의 '몸'이며, 하나님은 미래를 알지 못하고 고통스러우시기에 그를 행복하게 할 사람(문선명)이 필요하다고 합니다.

4) 하나님과 예수님은 재림주를 소개하기 위한 예비자이며, 예수님은 사단을 굴복시키지 못한 실패자라고 합니다.

5) 선악과와 뱀의 꾀임을 하와와 타락한 천사와의 성관계로 해석합니다. 그래서 사단의 피로 더럽혀진 피를 거룩하게 하기 위해서는, 피가름이 필요하다고 합니다.

6) 구원을 받기 위해서는 진정한 부모(문선명과 한학자)를 인정하고 그들에게 복종할 때 죄가 사해지며 그 결과로 완전해진다고 합니다. 그들은 문선명과 그의 처가 만든, 21가지의 성분이 섞인 '특별히 거룩한 포도주'를 마시므로 결혼을 하게 됩니다.

7) 합동결혼식(최근에는 30,000쌍)은 서로 다른 인종간에 하는 것을 원칙으로 하는데 문선명이 중매하고 실행합니다. 신도들은 예수가 문선명에게 경배한다는 것과 문선명이 왕중의 왕이요, 만군의 주이며 하나님의 어린양인 것을 믿습니다. 또한 이들은 죽은 이들과의 영적 접촉을 시도하기도 합니다.

출판물 및 관련 단체

통일교는 다수의 언론기관을 두고 있는데, 세계 40여개 국가에서 '워싱턴 타임지'를 비롯한 8개의 일간지, 3종의 주간지, 월간지가 발행되고 있습니다. 일간지 '세계일보' 또한 통일교의 소유이며, (주)일화, (주)세일여행사, (주)평화자동차, (주)세일로, 일성레저산업(주), 한국티타늄(주), (주)일흥, 일성종합건설, (주)정진화학, 통일항공(주), (주)일화축구단, 용평리조트, 한국와콤전자, '세계 평화 교수 아카데미', '크리스챤교수협의회' 등을 운영하고 있습니다.

통일교의 신도들의 생활 방법

통일교 신도들의 생활 방법을 보면 도무지 기독교라고 말할 수 없을 것입니다.

1) 아버지(문선명 ; 인용자주)를 자주 부르라.

2) 누구든지 본부에 오면 예물을 가지고 와야 한다. 예물이란 나라를 사랑한 실적이다.

3) 선생님을 아는 것을 생활의 표어로 삼고 어디서나 선생님을 찾고 발견하는 생활을 하라.

4) 아침에도 웃으면서 '아버지' 하고 자리에서 일어나고 밤에 또 웃으면서 '아버지' 하고 잠들라.

5) 모든 통일교 축복 가정은 식사시간마다 문선명 부부의 밥을 제일 먼저 담아서 기도하고 두었다가 다음 식사시간에 먹는다.

6) 밥그릇을 따로 사서 항상 보관하여 사용한다.

7) 문선명 결혼식 때 만든 소금을 성염이라 하여 세 번 뿌리는 의식을 행하고, 이웃집에서 음식을 가져올 때도 반드시 성염으로 성별식을 행하며, 떨어지면 10배 양을 가하여 만들어 사용한다.

8) 초상집이나 장례식이나 부정한 것을 보고 왔을 때 반드시 대문에 들어서기 전 신문지에 불을 태워서 그 불 위로 세 번을 왕래한

후 집안으로 들어오는 성별법을 지킨다.

9) 문선명은 젯상 양옆에 라헬과 레아로 지칭되는 여인을 거느리고 큰 절을 하는데 이는 영계를 해방시키는 의식이라 풀이합니다.

10) 하나님의 날(양 1월 1일;1968), 문선명의 날(1월 6일;1920), 부모의 날 (음 3월 1일;1960), 심정부활의 날(양 4월 17일;1960), 실체부활의 날(양 4월 17일;1960), 만물의 날(음 5월 1일;1960), 자녀의 날(음 10월 1 일;1960), 창립의 날(양 5월 1일;1960), 애천일(양 5월 16일) 등의 날에 제사를 지낸다.

11) 문선명에 대한 경배식 : 매년 1월 1일, 매월 1일과 15일, 특별기 념일 행사때, 앞에서 직접 경배, 방향 경배하며, 절은 항상 3배 큰절을 한다.

문제점

1) 합동결혼식의 강제성, 인위적 조작 등으로 가정파괴와 사회적인 문제를 일으키며, 피가름이란 명목으로 행하는 혼음, 참부모(문선 명, 한학자) 우상화, 합동결혼식의 강제성, 인위적 조작 등은 지극 히 경계해야 할 사회 문제입니다.

2) 전방위로 포교 활동이 진행되어 경제, 문화, 교육, 언론 활동뿐 아니라, 본격적인 정치 활동을 시작하였습니다.

3) 세계평화통일가정연합이라는 이름과 '참가정'이란 구호 아래 종교적 색채를 배제한 채 사회적 공감대를 형성하며 이단 사상 을 확장해 가고 있습니다.

주의점

1) 평화의 명목과 순결, 참가정 등과 같은 구호와 사회 문화 활동 등으로 가장하여 사람들을 미혹하고 있으므로 통일교와 관련된 행사임을 확인할 필요가 있습니다.

2) 통일교는 대학가에서의 공약이 심하므로 특별히 학생들에게 세밀한 지도를 해야 하며, 반기독교적인 활동과 교세확장을 해 나가고 있으므로 적극 대처하여 더 많은 사람들이 미혹되지 않도록 노력해야 합니다.

3) 기독교 일각에서 진행하는 통일교 제품 불매 운동과 같은 것은 개인적으로라도 지속화할 필요성이 있습니다.

5. 기독교복음선교회(JMS, 정명석)

이단 정체

정명석은 1945년 충남 금산군 진산면에서 출생하였으며 한국신비주의의 원조격인 나운몽 장로의 용문산 기도원을 전전하다가 통일교에 입교하여 활동하였다. 그는 통일교 문선명의 시대가 끝이 나고 자신의 시대가 왔다고 선포한 후 1980년 서울 남가좌동에 애천교회를 시작하였는데, 이것이 기독교복음선교회, 일명 **JMS**의 모체이다.

1980년 중반에 '국제크리스천연합'으로 개칭하였고 대학생들을 중심으로 세를 확산하여 갔으며, 예수교 대한 감리회 진리측 교단에서 목사안수를 받기도 하였으나, 창설 때부터 여신도들과의 성추문이

1. 교주 정명석 2,3. 여신도들과 함께 있는 교주 정명석 4.군인신도들이 참석한 JMS 집회

끊이지 않았으며, 불법모금으로 간부들과의 불신의 골이 깊어져 갔다. 그 후 그의 행적은 SBS '그것이 알고 싶다'에 보도되었으며, 최근 정명석에게 성폭행 당했다는 여신도들이 민,형사소송을 제기하여 진행 중이다. 정명석은 외국으로 도피하여 장기체류하고 있으며, 통일교와 유사한 성경해석으로 창설초기부터 기독교 전 교단으로부터 이단시되었다.

이단 사상

통일교 교리를 그대로 복사하여 30개론을 작성하여 사용하고 있습니다. 성경은 모두 비유와 상징인데 오직 하나님으로부터 특별계시의 영감을 받은 교주 정명석만이 인봉된 말씀을 풀 수 있다고 하며 모든 성경을 비유로 봅니다. 대체적으로 모든 면이 통일교와 유사합니다.

1) 하나님에 대해서는, 삼위일체 하나님은 거짓이며 예수님은 아버지 성부와 어머니 성령의 관계를 통해 태어났다고 합니다. 또한 교주 정명석이 기도하여 김일성도 죽었고 태풍도 비켜 갔으며, 하나님은 정명석의 기도에 따라 움직이는 신으로 전지전능하지도 않고 영원하지도 않다고 봅니다.

2) 예수님은 육체는 죽고 영만으로 부활하였고 사역도 미완성이었다고 합니다. 그래서 자신이 사역을 완성하기 위해 이 세상에 왔다고 합니다. 즉, 자신에게 예수의 영이 재림한 것이며 자신이 구세주인 JMS(Jesus Christ Messiah Savior, Jesus Morning Star)입니다.

3) 선악과 비유를 하와와 천사(뱀)의 성행위라고 통일교와 똑같이 주장하며, 오직 예수의 영이 재림한 자신을 통해서만 죄악이 깨끗해지고 구원을 받을 수 있다고 하여 여신도들에 대한 성폭력을 합리화합니다.

4) 자신에게 예수의 영이 재림하였기 때문에 자신을 통해서만 구원을 받을 수 있다고 합니다. 아마겟돈 전쟁은 영적 전쟁으로 기독교와 정명석과의 전쟁이며 구세주인 정명석이 반드시 이긴다고 주장하고, 기존 교회는 모두 거짓으로, 정명석을 안 믿으면 이단이 되고 죄인이 된다고 합니다.

5) 신도들의 이성을 마비시키고 교주에게 맹종하게 하며, 자신은 메시아이므로 인간 몸의 모든 질병을 감지할 수 있다며 신체 검사 명목으로 여성을 성추행 및 성폭행을 자행합니다. 피해 여성은 메시아라는 생각으로 반항할 엄두를 내지도 못합니다.

출판물 및 관련 단체

대학가에서 활동하고 있는 JMS동아리들은 가증스럽게 자신들은 JMS와 무관하다고 거짓말하거나 이름을 바꾸고 있으며, 다른 동아리에 단체로 가입하여 동아리를 잠식하고 있습니다.

1) 동아리
• 숙명여자대학교 : 댄스댄스 동아리

- 건국대학교 : 고들 빛

- 경북대학교 : BOB

- 고려대학교 : 하늘과 땅(본교), 껍질깨기(이공), ICEL

- 광운대학교 : 가마솥

- 단국대학교 : 백설회

- 대구대학교 : 아기자기

- 동아대학교 : 빛(총학생회에 의하여 제명됨), 하단캠퍼스 - 만화 동아리, 구덕 캠퍼스 - 음악 동아리

- 마산창원전문대 : JMS

- 부산대학교 : 신앙과 예술, 프라비던스(폭력성으로 제명당함, 중복등록 때문이 아님)

- 서울대학교 : 오순도순

- 서원대학교 : 구룡응원단

- 세종대학교 : TRUE EYES (동아리협회장도 JMS 신도)

- 성신여자대학교 : 등대

- 연세대학교 : 아이셀(ICEL) → 현재 ICEL은 JMS단체로부터 멀어져서 ICEL교회와 분리되어 있다고 함

- 영남대학교 : 고운회의, 불타나

- 이화여자대학교 : ICEL

- 인하대학교 : FAS

- 전남대학교 : 예술과 신앙

- 조선대학교 : 새벽별, 신앙과 예술

- 충남대학교 : 에버그린(배제스타), 열정 응원단, 느티나무

- 충북대학교 : 예수사랑(구 오손도손), 불새(응원단), 영문이니셜 4글

  (100가지 운동 가르친다고 함)

- 한국외국어대학교 : 빛을 찾는 사람들(종교분과 소속, 소속인원 : 20명)

- 한양대학교 : 탁구부(80년대초부터 아주 뿌리가 깊음)

- 효성가톨릭대학교 : 불꽃

- 기타 제명한 대학교 : 경성대학교, 수산대학교, 동서공과대학, 경
  희대학교

2) 업체 : (주) 정다운, 바이오톤 특수 미용비누 판매

(자료출처 − 안티 JMS 홈페이지 : http://www.antijms.or.kr)

문제점

1) 정명석의 큰 문제는 자기를 재림주로 신격화하는 것과 여신도들
   과의 성문제입니다.

2) 신도의 80%가 대학생, 청소년이라는 점도 큰 문제입니다. 이들
   은 재즈, 스포츠 등 문화 동아리를 개설하여 대학생과 청소년들
   을 모집하고 오랫동안 가족처럼 잘해 주며 환심을 산 후 서서히
   핵심 교리 30개론을 교육하여 JMS 신도로 가입의 단계를 거치
   게 합니다.

주의점

1) 재즈나 스포츠 등 청소년의 코드에 맞는 문화 동아리로 청소년
   들을 미혹하므로 성도들의 자녀가 대학에 들어갈 경우 동아리
   선택에 신중하도록 지도해야 하며, 대학생들이 미혹되지 않도록
   지도해야 합니다.

2) JMS에서 돌이킬 수 없는 상처를 받고 나온 안티 JMS 사람들을
   위로하고 따뜻하게 대해야 하며, 더 많은 사람들이 미혹되지 않
   도록 그들의 사역을 도울 필요가 있습니다.

6. 여호와의 증인(왕국회관)

이단 정체

찰스 타즈 러셀(1852-1916)은 20세에 안식교 지도자 J.H 페인트의 저서를 탐독하다가 자신과 동일한 생각을 가진 사람들과 성경공부 모임을 시작하였다. 1879년 '아침의 여명'이란 잡지를 냈는데 그후 '파수대'로 변경하고 '시온의 파수대 소책자협회'라는 명칭으로 등록했다. 1874년에 이미 예수 그리스도가 인간의 눈에 보이지 않게 재림했다고 주장하고, 1914년에 아마겟돈 전쟁이 일어나 세상정치권력이 멸망하고 천년왕국이 시작될 것이라고 예언했지만 이뤄지지 않았다. 한국에는 1912년 홀리스터 선교사 부부가 내한하여 문서 선교운동을 펼침으로써 전파되었다. 본부는 뉴욕의 부르클린에 있으며, 한국 국내 본부는 경기도 안성에 있다. 기성교단으로부터 이단으로 규정되었으며 세계 48개국에서 포교가 금지되었다.

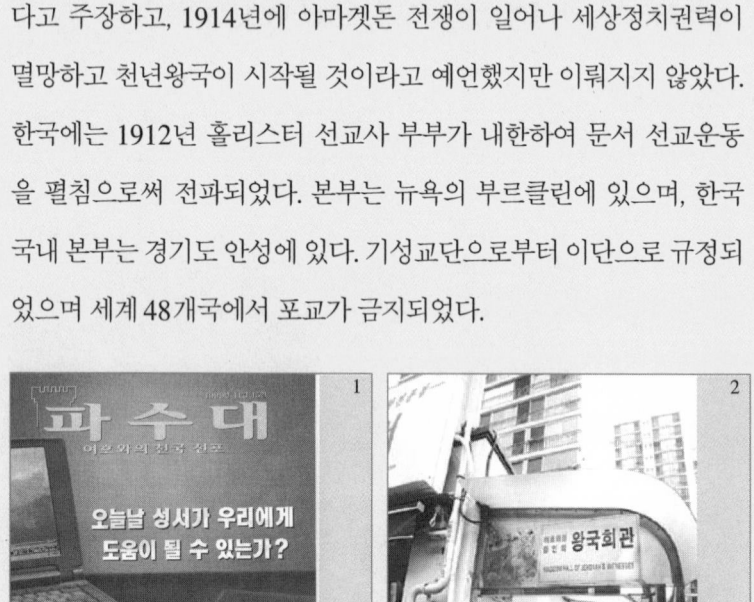
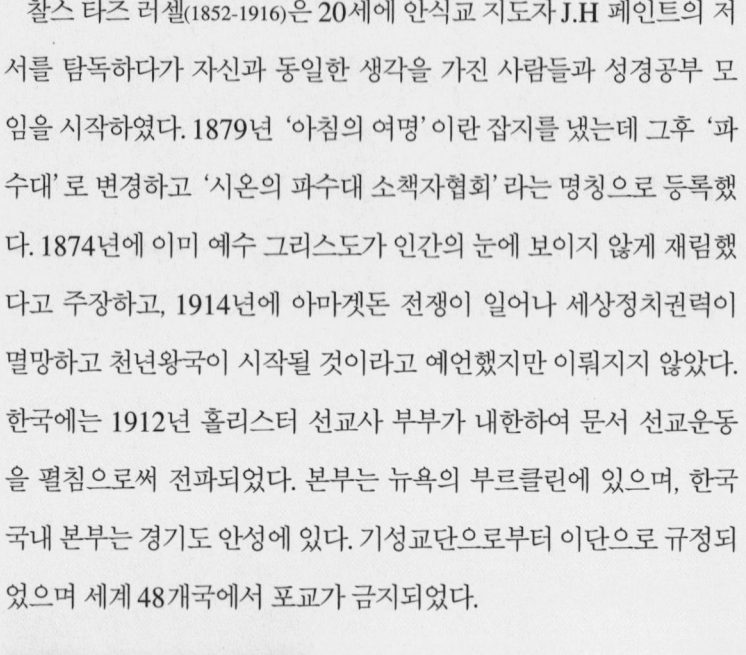

1. 전도지 파수대 2. 왕국회관

이단 교리

1) 이들은 하나님은 여호와라고 불리는 하나님 한 분뿐이며 삼위일체의 하나님을 부정합니다.

2) 이들은 예수님은 하나님이 아니라고 주장합니다. 지상에서 살기이전에 그는 우두머리 천사인 미카엘이었는데, 여호와는 그를 통하여 우주를 창조하였습니다. 지상에서 그는 사람으로서 완전한 삶을 살았고, 말뚝 위에서(십자가가 아님) 죽은 후, 몸은 부활하지 못했고 영만 부활했으며, 예수님은 육체의 모습으로 재림하시지 않습니다. 예수님은 1914년에 보이지 않는 영으로 '재림'하였으며, 이제 곧 그와 천사들은 여호와의 증인을 제외한 모든이들을 멸할 것이라고 주장합니다.

3) 성령님을 하나님이 아닌, 비인격적인 영향력으로, 여호와로부터 나온 보이지 않는 능력(힘)으로 봅니다.

4) 이들은 여호와의 증인으로 세례를 받아야 구원받는다고 주장합니다. 대부분 추종자들은 집집마다 전도를 통해 지상에서의 영원한 생명을 얻는다고 봅니다. 천국에서의 구원은 14만 4천 명의 기름부은 자들에게 국한되며 이 숫자에 거의 이르렀다고 합니다.

5) 신구약 성경을 믿되 해석법에 있어서 여호와의 증인에게 필요한 성경구절만 뽑아 연결지어 해석하며 여호와의 증인들만의 성경인 '신세계 번역판 성서'가 있습니다.

출판물 및 관련 단체

현재 발간되는 '파수대'와 성경을 변질시켜 편리대로 자체 발행한 '신세계 번역성경'을 주된 경전으로 사용하며, 이 외에도 '워치타워', '깨어라' 등을 발행하고 있습니다. 일요일에는 왕국회관에서 만남을 가집니다.

문제점

1) 병역의무 기피 및 집총 거부, 직업포기, 의무교육 거부 및 학업포기, 국가체제를 사단으로 간주하여 반대, 애국가 국기배례 거부로 사회 문제를 야기합니다.

2) 수혈거부 카드를 항상 지니고 다니며 수혈을 꼭 해야 할 사람에게 수혈을 거부함으로 귀중한 생명을 잃게 하여 사회적 논란이 되고 있습니다.

3) 과거에는 시간의 십일조라는 미명 아래 신도들이 포교 활동을 하기 위해 직장과 가정을 포기하여 가족간의 반목이 심화되고 학업에 대한 편견으로 학업을 포기하는 사례가 빈번하였으나, 최근에는 사회환경의 변화에 따라 이러한 예는 점차 사라지고 있습니다.

주의점

1) 최근 양심적 병역거부에 대한 동정론이 확산되면서 국방의무에
   대한 의식이 희박해 질 수 있습니다.

2) 성도들의 집을 방문하여 집중적으로 포교하므로 여호와의 증인
   의 방문을 일체 허용하지 않아야 합니다. 이야기를 받아주면 계
   속해서 집요하게 방문하므로 가정 생활에 어려움이 있습니다.
   다만 밖에서 만나게 될 경우, 그들의 잘못된 신앙에 대해서 지적
   해 줘도 좋을 것입니다.

3) 이들은 다른 이단들에 비해 윤리의식이 아주 높아 기성교회에서
   상처를 입은 사람들이 이런 면에 매력을 느껴 참석했다가 이단
   사상을 발견한 후 돌아오는 예들도 있습니다. 세심한 지도가 필
   요합니다.

4장

이단 침투 방법과 피해 사례

1. 교회침투 사례

2. 캠퍼스침투 사례

3. 가정피해 사례

4. 교회침투 이단 판별

1. 교회침투 사례

교회로 침투조를 보내어 교회를 말살하려는 이단은 신천지입니다. 이들이 교회에 몰래 들어와 열심히 신앙 생활하는 척하여 신뢰를 얻어 청년부 임원 혹은 새가족 부장, 심지어 회장이 되어 한 사람씩 미혹해서 데리고 나가는 사례들이 발견되었습니다. 특히, 규모가 작은 교회들은 사람이 부족해서 짧은 기간의 열심을 보고 임원으로 세우는 경우가 있는데, 신입과정 때부터 철저하게 점검해야 합니다.

이들은 발각되면 울면서까지 신천지가 아니라며 거짓말을 합니다. 또한, A교회에 침투하여 미혹하다가 쫓겨 나서 다른 B교회로 갈 때 거기서 A교회에서 봉사했다는 것을 빌미로 침투합니다. 그러므로 처음 새신자가 오면 사진 자료를 남기고, 신상을 정확하게 기록하여 점검해 보며, 언행이 조금이라도 이상한 점이 발견되면 이전 교회에 연락하여 반드시 확인해야 합니다. 그러나 규모가 작은 교회들은 인력이 부족하여 상대적으로 새가족 관리나 철저한 점검 시스템이 이뤄지지 않아 피해를 보는 경우가 많습니다. 그러므로 특별한 주의가 필요합니다.

신천지 이단의 교회 침투 전략

〈신천지의 침투 학습 내용〉

다음은 아내가 신천지에 빠져 가정이 파탄났다는 한 가장이 이단대책위원회에 제공한 아내의 신천지 학습장의 복사본 내용입니다.

1. 한 사람을 30명 관리자로 만들 것

2. 타교회 방문 명단 결과물 제출할 것

3. 그 주에 대상자 선정, 거절하지 않으면 방문

4. 방법·요령

1) 교회 구역예배 참석, 이사, 실족 – 무슨 일이 있는 것처럼, 보다 관심이 필요한 사람처럼 접근, 하루에 다섯 명을 꼭 만나고 쉬지 말자.

2) 주일에 한 명 A급 꼭 만들기 – 일주일마다 활동자 모두 C급 이하이면 명단 제출 등

※ 주의점

1. 자기 소개할 때 가명, 예명 사용할 것

2. 조별로 서로 아는 척 하지 말 것

3. 신분노출 하지 말 것

타 교회에서 추수하기

다음은 신천지 이단에서 소개하는 교회 침투 방법입니다(자료출처 : 신나는 천사들의 추수 방법 책자[8-11]신천지).

먼저 한 두 군데 타교회를 방문하여 그 교회의 소속, 성도 수, 성도들의 예배 반응 등을 잘 살펴서 활동하기에 적합한 추수 대상 교회를 선정한다.

규모가 큰 교회는 가까운 사람들끼리만 대화하기 때문에 교제 여건을 만들기가 어렵고 개척교회처럼 성도수가 적은 교회는 쉽게 노출될 우려가 있으므로 성도 수가 100~200명 정도 규모의 교회가 추수 대상으로 적합하다.

목회자나 전도사가 없는 교회, 내분이 있는 교회, 여 목사나 전도사가 담임하고 있는 교회, 성도 관리가 소홀한 교회 등이 방문하기에 적합하다.

성공요령 (1)

한 사람이 먼저 타 교회를 방문하여 전도 대상자 및 교회에 대한 동태, 상황 정보를 빠른 시일 내에 파악한다.

타 교회를 방문하여 개인별로 대상자(교역자 부부나 자녀, 또는 이들과 친한 사람은 피할 것)를 물색한 후 친분을 다진다. 성경의 의문점을 전도 대상자에게 넌지시 던져, 성경말씀에 대한 관심 여부를 파악하고 성경을 알아야 한다는 점을 주지시킨다.

물색된 전도 대상자와 성경에 관하여 대화가 오고 갈 정도가 되면 '2인 1조'로 활동하되, 한 사람은 말하고 다른 사람은 계속 미리 약속된 질문이나 동조, 찬성 등 완벽한 연출을 시도한다.

성공요령 (2)

직접적인 성경공부보다는 성경의 의문점만 제시해 주고 성경을 알아야 한다는 점을 강조하여 '신학 교육관'으로 인도한다.

'신학 교육관'으로 인도할 때는 좋은 풍문을 듣고 가 본 것처럼 말하거나, 전도사님 또는 목사님의 소개로 가 보게 되었다고 말한다. 일부 목사님들은 개인적으로 신학원에서 배우는 것을 싫어하는 분도 있으나 본인이 직접 들어 보고 판단함이 중요하다고 일러주고, 조용히 와서 배울 수 있도록 교회에서 눈치채지 않게 최대한의 주의를 기울여 성공시킨다.

같은 교인 추수하기

먼저 스스로 말씀의 체계를 세워야 한다. 또한 자신의 위치를 노출시키지 않도록 주의한다.

1) 말씀에 관심이 있는 교인, 교회 체제에 불만이 있는 교인, 담임 목사의 설교에 충족하지 못한 교인을 먼저 선별한다.

2) 중요한 성구에 대한 문제를 제기하여 상대의 반응을 살핀다.

3) 며칠 후 또 다른 성구 하나를 다시 물어 재차 문제를 제기하여 성경에로 관심을 환기시킨다.

4) 전도하기 위한 대화를 나눌 수 있도록 때와 장소를 정한다.

5) 전도 대상자를 만나서 성구의 참 뜻을 해석하여 알려준 뒤, 상대가 말씀의 출처를 물어오면 '세계 교역자 연합선교회'의 '선교사'로부터 들었다고 말한다.

사례 1) 청년회 임원(회장)을 하며 믿음 생활하고 신실한 모습을 보인 한 청년이 현재 C신학대학에 재학 중인 여학생에게 접근하였다. 이메일로 어렵지 않느냐고 위로해 주고 성경구절을 한 구절씩 사용하여 믿음이 가도록 은근히 교육을 시켰다. 이 자매는 조금 이상한 것을 느꼈으나 워낙 신실하고 교회에서 믿음이 좋은 청년으로 보여져 본인도 모르는 사이에 일대일로 그에게 신천지 성경공부를 받기 시작했다.

말씀 몇 구절을 읽어 주면서 그곳의 교리를 교육시켰다. 나중에 들어보니 교인들은 신천지 멤버인 그가 회개하고 돌아오기를 기다리며 기도하고 있었지만 그는 돌아온 것이 아니라 아무도 모르게 한 명씩 일대일로 잠입해 들어온 것이다. 그래서 교회는 그 청년을 제명시키고 출교를 시켰다. 이 자매는 처음에 일대일로 접근하고 사랑의 관계를 맺어 베풀고 섬겨서 전혀 눈치를 챌 수 없다고 했다. 처음에 이 청년은 자신이 불쌍하게 보이도록 조작하기도 하며, 꿈속에서 네가 물에 빠져 허우적거리는 것을 보았다, 그래서 내가 울면서 깨어났다며 접근했다고 했다. 그리고 성경을 공부시키면서 절대로 타인에게 이야기하지 말 것을 당부했다. 그녀는 초창기에 빠져 나왔으나 중급과 고급반 이상을 공부한 사람은 절대로 빠져 나올 수가 없으며 고급과정에서는 이만희가 메시아라는 사실을 자연스럽게 수긍하도록 세뇌가 된다고 한다.

사례 2) 수능 끝나고 K대에 영어를 배우러 다니다가 설문지 조사를 하는 한 언니를 만났다. 그런데 그 언니가 학교에서 기타 등 공짜로 문화 생활을 알려준다고 해서 들어갔다. 그러다가 큐티를 하자고 권유해서 하면 좋을 것 같아서 했다. 처음에는 평범하게 성경에 대해서 가르쳐줬다. 그런데 나중에 보니까 내용이 이상하게 흘러갔다. 왜 우리 교회에서는 이런 것을 안 가르쳐 줄까라고 의아했다. 그러다가 얼마 후 그 언니가 큰 언니를 데리고 와 소개를 시켜주었고 이야기를 통해 가르쳐 줬다. 큰 언니라는 사람이 말하기를 공주에 있는 교회를 모두 가 보았고 너희 교회도 가보았는데 다 똑같이 나쁜 교회들이라고 말했다. 그래서 자신도 모르게 정말 우리 교회는 나쁜 교회구나라는 생각이 들게 되었다고 한다. 또 질문을 던져 궁금증을 유발하고 자기네 교회는 좋은 교회인데 아무나 올 수 없다고 호기심을 갖게 한다. 그리고 이렇게 공부하는 것을 엄마에게도 말하지 못하게 했다. 그러나 이 자매는 교회 집사인 엄마에게 이상한 질문을 하다가 눈치를 챈 엄마에 의해 공부를 중단하고 빠져 나왔다.

(자료출처 : 침례교 총회 홈페이지 http://www.koreabaptist.org)

사례 3) K씨는 남편이 암으로 고생할 때 기도도 무척 많이 해 주고 불쌍히 여겨 주었으나 때가 되매 하나님께서 불러 가셨다. 미망인 K씨는 참으로 친절하고 부지런하고 다른 사람에게 모범이 된 여집사였다. 광주신학교를 야간이지만 일등으로 졸업하였기에 여전도사로

채용되어 여러 해 동안 열심히 봉사하였고 진정 영혼을 사랑하는 것 같았다.

그런데 이상한 것은 하루에 한 번씩 자기 아버지 간호를 핑계로 자리를 비우는 것이었다. 한 번은 깜짝 놀랄 제보가 있었는데 K전도사가 신천지 이단에 깊이 빠져서 거기 가서 성경을 배우고 다닌다는 것이었다. 그래서 그를 불러다가 그런 사실이 있느냐고 물었으나 전혀 사실 무근이라고 발뺌을 하여서 그냥 두었는데 자기 아버지 간호 때문에 전도사직을 사직하겠다고 하기에 말렸으나 퇴임하고 말았다.

그 후 동명교회의 식구들을 약 40가정이나 데리고 다니면서 이단 자들의 집단에서 훈련을 받게 한다는 것이다. 몇 가정을 빼고는 다 돌아오고 말았지만 그때의 충격과 배신감은 말할 수 없었다. 그를 돕는다는 것이 호랑이 새끼를 키운 격이 되었다. (최기채, '저방으로 가라', 생명의 말씀사 p.151)

대책

1) 교회에서 그들을 발견하여 쫓아내는 것만으로는 부족한 시대가 되었습니다. 그들은 여전히 다른 교회에 침투할 것이며 그들의 행동은 계속 반복되기 때문입니다. 각 교회에서 이단이 발각 되거나 다른 교회침투에 관한 정보를 알게 될 때 그 교회로 연락을 해 줘야 합니다. 실례로, A교회는 피해를 본 타 교회가 그들이 자기네 교회에 침투했었다는 사실을 사전에 알려줘 몇 명의 이단

을 색출한 경험이 있습니다.

2) 교회연합차원에서 정보를 주고받는 것도 중요하나, 침투한 사람을 발견할 경우 그들을 예배 방해와 업무 방해 등으로 법정에 고발하여 그들이 더 이상 교회에 마음 놓고 들어오지 못하도록 뿌리를 뽑아야 합니다.

3) 이단과 관련된 명예훼손 고소건의 판례들을 살펴보면, 첫째, 비방의 목적이 없고 둘째, 주관적 객관적으로 공익 목적이며 셋째, 진실한 사실일 경우에 면책됩니다.

4) 이단 대책을 위한 연합행사나 예배시에 위장 비표를 만들어 침투하여 행사 자체를 방해하는 일도 빈번합니다. 이러한 연합행사를 기획할 경우, 반드시 경찰을 행사에 동석시켜 현장에서 잡든지, 아니면 사진이나 비디오를 동원하여 모두 촬영한 후 그들의 소재와 이름을 파악하여 법적인 대책을 강구하여 근본적으로 교회에 못 들어오게 막아야 합니다.

2. 캠퍼스침투 사례

초창기 이단 · 사이비 단체와는 달리 지금은 그동안 알려진 이단 동아리 명칭을 사용하지 않고 일반교회나 건전한 선교단체의 이름을 도용하여 활동하는 양상을 보이고 있으며 수시로 그 명칭을 바꾸어 침투하는 위장술을 가지고 있습니다. 그들의 조직도 세계화 되어 있으며 대학 동아리 지도교수제도가 사라지면서부터는 우후죽순으로 이단·사이비 조직이 생겨 지역에 따라서는 대학 내의 건전한 기독 동아리 수를 능가하여 활동하므로 심각한 지경에 이르고 있는 실정입니다. 이러한 때에 아래와 같은 사례들을 공개하여 각 교회와 기독 단체들에게 경각심을 일으켜 협력하여 대처할 수 있기를 바랍니다. 내용 중 관련 단체와 관련자의 명칭을 사용하지 못함에 양해있으시기 바랍니다.

건전한 단체를 사칭하는 전략

사례 1) 조○○이 보여 주는 명함에는 버젓이 "WEM(WORLD EVANGELICAL MISSION, 세계복음선교연합회) 말씀사랑 선교회 선교사 조○○"라고 쓰여 있었으며 뒷면에는 영문으로 미국 펜실베이니아 주 정부 정식인허를 받은 선교사 교육기관으로 표시되어 있었습니다. 또한, "1999년 3월 30일에 선교사로 임명받아 한국으로 파송했다."고 쓰여 있었습니다.

그러나 흔히 일반 교인들과 기독 대학생들 사이에 잘 알려진 WEM은 서울 송파구 송파동 144 선교회관 4층에 위치하고 있으며, 그리스도의 선교명령에 순종하여 복음을 전파하고 그의 사랑을 실천하기 위해, 1986년 영국과 한국에서 설립되어 1993년 폴란드, 1997년 그리스, 1999년에는 루마니아에 설립된 국제적으로 조직된 초교파 선교단체입니다. 서울 본부의 WEM 사무간사도 기자와의 전화 인터뷰에서 "한국 내에 또 다른 WEM은 없는 것으로 알고 있으며 미국에서는 설립되지 않았다."고 했습니다.

사례 2) ○○○선교회 K학생은 얼마 전 학교에서 설문조사를 해 달라는 부탁을 받았습니다. 내용은 QT에 관한 것이었습니다. 설문 조사를 하는 사람은 자신을 온누리교회에서 실시하는 QT천만운동 본부에서 나온 간사라고 소개했습니다. 설문지는 다음과 같은 내용을 담고 있었습니다 : "1. 당신은 두란노 QT천만운동본부에 대해서 들어보셨습니까? 2. 당신은 QT를 어떻게 하고 있습니까?" 그리고 이 학생은 간사라고 하는 여자 한 명, 남학생 한 명과 함께 QT를 했습니다. 이 사실을 발견하고 QT천만운동본부에 연락을 한 결과 그곳에서는 캠퍼스에 간사를 보낸 적이 없다는 것을 확인했습니다. 온누리교회를 사칭하는 그들은 신천지 계열로 추정됩니다.

사례 3) A선교회의 대표를 맡았던 K는 방학이 되어 아르바이트를 계획하면서 지역생활 정보지를 찾아 보았습니다. 그 아르바이트를 주관하는 곳은 '○○ 선교회' 라는 곳인데 오전에 출근해서 30분 동안 성경공부를 하고 물품을 판매하러 나간다는 것이었습니다. 이렇듯 우리 주변의 생활정보지를 통해서 아르바이트를 모집하는 경우도 있습니다. 모 방송국을 교회 신도들이 점거한 사건을 기억할 텐데 방송을 통해 문제성이 고발되면서 그 교회는 학생들을 대상으로 자신들의 집회에 참석케 하는 신종 아르바이트를 모집했습니다.

제도권 진입시도

사례 1) 전남대 사태 - 전남대의 동아리연합회를 장악한 신천지 계열의 동아리들은 마침내 기독 동아리(CCC, ESF, SFC, IVF, 예수전도단)를 운영위 차원에서 변칙적인 절차를 통해 제명시켰으며, 그 후에도 동아리 연합회(이하 동연) 임원을 계속 장악하며 기독 동아리들의 재가입을 저지하고 있습니다. 현재 전남대 동연의 신천지 장악률이 16대(2000년)동연 부터 19대(2003년)동연까지 매년 증가해 2000년에 50%이던 장악률이 현재는 85%까지 올라 신천지 세력들로 인한 캠퍼스의 피해가 심각한 것으로 드러났습니다.

또한, 학원의 공동체 문화를 만들어 가야 할 동연은 기존 동아리에 신천지 학생들을 침투시켜 동아리를 장악하거나 신천지의 이름을 숨긴 채 다른 이름으로 위장하여 신천지 동아리들을 등록시키는 등 공동체 문화를 해치고 있습니다.

사례 2) 출처가 불분명한 이름으로 동아리에 가입했거나 가입 시도 중 - 전남대의 사례를 표본으로 하여 각종 이단단체들이 수시로 이름을 바꾸어 가며 가입하여 활동 중입니다. 그들 중 다수가 동아리연합회의 임원직에 관심을 갖고 참여하고 있으며 이것을 근거로 자신들의 세력 확장에 힘을 쏟고 있습니다.

캠퍼스 단체의 실제적인 피해들

〈건전한 선교단체를 음해하는 편지 및 전단지 살포〉

1) 2000년 4월 초 B선교회가 이단이며 섹스집단이라는 편지가 시중 교회에 배달

- 새학기에 캠퍼스 자취촌에 수천 통의 전단이 살포되었습니다.

2) 새학기에 선교단체 신입회원 명부를 훔쳐가서 학부형에게 음해성 편지 배달

- 회원명부 관리를 철저히 할 필요가 있으며 이후로는 명부를 기록하지 않고 외우도록 해야 합니다.

- 편지의 발송인은 다른 선교단체의 대표명의를 도용합니다.

사상 초유의 인분테러

일부 이단단체들이 자신들의 세력 확장에 걸림돌로 지목한 C선교회의 동아리방 4개에 입학식 전날 일제히 인분을 살포하여 새학기 사역에 방해를 하는 전대미문의 행동을 범했습니다.

기독단체들의 피해사례

1) YOOO - 이단단체 학생들이 신분을 위장하여 신입회원으로 가입하였는데 나중에는 그들이 주도권을 갖게 되어 급기야는 YOOO 본부에서 동아리 자체를 폐쇄하게 되었습니다.

2) UOO - 3, 4월 캠퍼스 전도시 영접하는 사람마다 이단단체에

소속된 학생으로 거짓 영접하여 매칭되었습니다.

3) ROO - 전국적인 사회조직을 갖고 봉사활동을 하는 건전한 단체이지만 현재 대전지역의 캠퍼스 내 동아리로 활동하는 ROO는 거의 이단 조직원들이 침투되어 있는 것으로 파악됩니다.

4) COO - 대표가 무료성경신학원(신천지) 멤버로 추정됩니다.

5) JOO - 사랑방 멤버에 이단학생이 침투한 것을 색출하여 퇴거시켰습니다.

캠퍼스 이단 대응을 위한 실제적인 전략

1) 연합전선 구축 필요 - 개별적인 대응보다는 관심있는 각계 각층의 힘을 모아 연합적인 대응이 필요합니다.

2) 시급한 정보공유 시스템 구축 - 이단 학생들은 지역교회와 캠퍼스 선교단체를 수시로 이동하므로 학복협이나 건전한 기독단체들을 상호 신뢰하는 가운데 정보공유 시스템을 구축해야 합니다. 이단으로 추정되는 명단과 자세한 신상, 특히 사진을 확보하여 공동 관리해야 합니다.

3) 캠퍼스 기독단체들의 적극적인 제도권 진입이 필요합니다.
(총동연 임원 및 회장직 확보필요)

교회와 대학에서 벌여야 할 전략

1) 이단 동아리들의 개명금지 - 이단 동아리들은 이름을 수시로 바

꿉니다. 특히 **JMS** 계열이나 신천지 계열은 1, 2년 만에 이름을 바꿉니다. 그래서 이단 동아리들의 이름을 공표해 봐야 소용이 없습니다. 그들이 이름을 바꾸는 이유는 아주 간단합니다. 자신들의 이단성을 감추고 위장하기 위해서입니다. 그래서 건전한 기독 동아리들은 이름개명을 금지하는 동연회칙을 추진하고 있습니다. 이 일에는 학교측과 교수님들의 도움이 아주 많이 필요합니다.

2) 위장분과조정 – 이단 동아리들이 종교분과에 있어야 하는데 어느 순간에 봉사분과나 학술분과로 분과를 이동하였습니다. 따라서 이것을 원위치 시키고자 노력하고 있습니다. 이단 동아리들이 종교분과를 피하는 이유는 종교성을 띄지 않는 분과에 있을 때 자신들의 모습을 위장하기가 쉽고 신입회원을 모으기가 더 쉽기 때문입니다. 그래서 건전한 기독 동아리들이 추진하고 있는 것은 각 분과마다 분과의 원래 모습을 갖는 것입니다. 예를 들면, 학술분과는 학술 쪽에, 봉사분과는 봉사 쪽에, 종교분과는 자신들의 종교에 집중하도록 하는 것입니다. 지금 충남대와 목원대에서는 종교분과 이 외에서 성경이나 기타 종교경전을 공부하거나 예배모임을 가지면 운영위원회에 상정하는 회칙을 마련했습니다. 앞으로 이런 내용들이 잘 정착되면 이단들을 통제하는데 훨씬 유리한 고지를 선점하리라 생각됩니다.

3) 신규 이단 동아리 가입 저지 – 이단성을 조금이라도 보이면 신

규 동아리 가입을 저지하고 있습니다. 이것을 위해서 총동연 회
장이나 분과장(임원)을 신앙인들이 맡아야 합니다.

3. 가정피해 사례

이단으로 인한 가정피해 사례는 너무 많고 다양합니다. 아내나 자
녀의 가출, 이혼, 경제적 파탄 등의 심각한 문제가 나타납니다. 이러한
사례에 해당하는 이단도 다양하며, 종류도 많아 사례를 뽑기가 쉽지
않습니다. 다음 사례는 신천지에 빠져 가출한 딸을 찾기 위해 생업을
포기하고 시위한 한 아버지에 관해 '뉴스앤조이'에 실린 기사입니다.

대한예수교 시온교회라는 명칭을 사용하는 소위 신천지라는 종교
단체에 다니던 딸이 가출해 현재 행방불명 상태라고 주장하는 서준
석(50) 씨가 신천지 측을 대상으로 1인 피켓 시위를 하고 있다. 서 씨
는 지난 2월 19일부터 전주 경기장 뒤편에 위치한 신천지 기독교 신
학원(전주시 경원동 2가 43-3)을 시작으로 고속버스 터미널 근처, 신천지
시온교회 등을 찾아다니며 생업을 포기한 채 시위를 벌이고 있다.

서 씨에 의하면 딸 서○○ 양(전주대 법정학부 1학년)은 지난 17일 오후 1
시 30분 경 전주의 개척교회 부흥회에 참석한 후 신천지 신도 세 명과
함께 나간 뒤 행방불명됐다. 서 양은 집을 나간 뒤 19일 하루 동안 전

남, 경기도, 서울 등지로 옮겨 다니며 전화로 연락을 해 오다 그날 이후 소식이 두절됐다.

　서 씨는 딸이 전화로 "왜 내 앞길을 막느냐, 왜 내가 이렇게 끌려 다니며 길거리에서 잠도 못 자고 고생해야 하느냐.""나를 구하려거든 내 앞길을 막지 말고 엄마 아빠가 먼저 신천지에 들어와 교육을 받아 보라."고 했다고 밝혔다. 또 서 씨는 "자식을 잃은 부모의 심경을 어떻게 말로 표현하겠느냐, 너무나 답답하고 힘들다."며 "쓰러져 죽는 한이 있더라도 딸을 돌려줄 때까지 시위하겠다."고 분통을 터뜨렸다.

　서 씨에 의하면 다른 신천지 신도들의 접근 방법과 똑같이 서 양도 고교 졸업 뒤 진학을 앞두고 선배 하나가 친자매 이상으로 잘해 줬으며, 그 뒤 캠퍼스 내 EBS 영어 동아리에서 매일 밤늦도록 공부하고 왔다. 하지만 최근 학교 측에 알아본 바에 의하면, 그런 동아리는 없었으며 영어 공부를 핑계로 신천지 기독교 신학원을 다닌 것으로 밝혀졌다.

　특히, 서 양에게 신천지에 다니지 말 것을 권면했으나 오히려 막말을 일삼고 흙탕물을 온몸에 끼얹는 등 이상 행동을 보이더니 지난 12월 29일에도 가출, 나흘 만에 집에 들어왔다고 말했다.

　서 씨는 "평소 워낙 착하고 신앙심이 두터웠던 터라 이렇게 무서운 곳에 빠졌을 것이라고는 생각지 못했다. 당연히 우리 딸도 돌아와야 하지만 이같은 피해자가 더는 생기지 않기 위해서라도 힘들지만 끝까지 시위하겠다."고 밝혔다. 또 "현재 딸아이가 난소에 물혹이 있는

데다가 최근 엉덩이뼈에 금이 가 병원 치료를 받던 중이라 걱정"이라며 안타까워 했다.

한편, 시온 기독교신학원 관계자 측은 "서 양의 행방은 전혀 모른다. 이곳에서 공부한 건 사실이지만 가출과는 전혀 무관하다. 왜 이렇게 하느냐, 차라리 부모가 먼저 교육을 받아보라."며 가출 관련 여부에 대해 부인했다.

서 씨 출석교회 최동수 목사(전주 Y교회)는 "신천지의 실체에 대해 알고는 있었지만 이렇게 피해가 큰 줄은 몰랐다."며 "너무나 무관심했다. 오히려 이 기회를 통해 교계가 각성하며 신천지에 대해 교인들이 철저하게 대비할 수 있도록 체계적인 성경공부를 할 계획"이라고 말했다. 또 "노회 등에도 건의해 좀 더 치밀하게 대처해 나갈 것"이라고 말했다.

현재, 전주시 기독교연합회는 광주 기독교교단협의회 이단 · 사이비대책위원회에서 발간한 '신천지교회의 실체'라는 소책자를 지난해 4월 6일 부활절연합예배 때 배포한 바 있다.(자료-뉴스앤조이 기사)

교회침투 이단 판별

1) 자신의 신상에 관해서는 숨기면서 교회에 열심히 출석하며 봉사하는 사람.

2) 성도들끼리 만나서 기성 교회에 대해 비난하거나 담임목사에 대하여 은근히 불평을 터트리는 사람, 특히 담임 목사님의 말씀이 약하다, 참 말씀이 없다는 소리를 잘 하고, 자기가 목사님보다 더 말씀을 잘 아는 것처럼, 저 말씀은 맞다, 저 말씀은 틀리다, 이렇게 평가를 잘 하는 사람.

3) 목사님이나 교회에는 알리지 못하게 하고 개인적으로 성경 공부하자고 하는 사람.

4) 몇 개월 사라졌다가 갑자기 나타나서 특별한 열심을 보이는 사람, 그렇게 해서 담임 목사님께 인정을 받고 구역장이 된다든지 리더의 위치에 올라가는 사람.

5) 봉사는 열심히 하는데, 얼굴에 기쁨은 없고, 주변의 눈치를 많이 보는 사람.

6) 대화중 무심결에 씨, 밭, 나무, 새, 기름, 등불, 배도, 멸망, 구원, 충진 등의 용어를 사용하는 사람

이런 특징들 중에 3가지 이상 일치하는 사람은 무조건 신천지에서 침투한 추수꾼입니다. 개인적인 상담을 통해서 신앙의 전력을 확인해 보시기를 바랍니다.

신천지에 몰래 다니는 성도들의 특징

본 교회 정규 예배 시간에는 다 참석하면서 월, 화, 목, 금, 토요일에

따로 신학원에 가서 공부를 하는데, 보통 3개월에서 6개월 정도 교육을 받은 뒤에 비로소 신천지 교회인 시온교회로 들어가게 됩니다. 이것을 가리켜 '유월' 이라고 합니다. 이미 유월한 사람이 기성교회에 다시 돌아올 때는 추수꾼으로 오는 것입니다.

1) 평소 바쁘지 않던 사람이 갑자기 바쁘게 삽니다. 약속도 많고, 교회 모임에 이유없이 잘 빠집니다.

2) 새벽기도를 잘 나오다가 갑자기 나오지 않고, 예배 시간에 앞자리에 앉던 사람이 뒷자리로 앉습니다. 그리고 늘 피곤해 하며 잘 좁니다.

3) 이유없이 목사님을 피하거나 예배 시간에 목사님을 똑바로 쳐다보지 못합니다. 목사님 뿐만 아니라 다른 성도들과도 잘 만나지 않습니다.

4) 이유없이 예배 시간에 자주 빠집니다. 핑계가 많습니다. 누가 아파서 병문안 가야한다. 누구 애기 봐 주러 가야한다, 등등

5) 3개월이나 6개월쯤 그러다가 아예 교회를 나오지 않습니다.

6) 몇 개월 뒤에 갑자기 다시 나타나서 열심히 봉사하는 사람은 추수 꾼입니다.

신천지 이단에 빠지지 않으려면

1) 교회 밖에서 성경공부를 하자고 유혹하면 무조건 가지 맙시다.

2) 선교사라는 말에 절대 현혹되지 마십시오.

(선교사들은 개인적으로 국내에서 성경공부를 시키지 않습니다.)

3) 요한계시록이나 성경의 비유와 단어 중심적 풀이와 해석을 경계
하십시오.

4) 거짓말을 잘하고, 연기 잘하는 사람을 유심히 살피십시오.

5) 신천지인으로 의심되는 행동을 보이는 사람을 즉시 교회에 신고
하십시오. (자료 : 한국기독교이단상담소 청주지소)

CHAPTER 5장

이단 · 사이비 방지 대책

1. 이단 · 사이비 방지 대책

2. 법률적인 차원에서의 이단 대책

3. 이단 · 사이비를 비호하는 도서 및 언론

4. 기도원 이용시 주의점

5. 이단들의 교육기관 및 사업체

1. 이단 · 사이비 방지 대책

이단의 성장 요인 중에는 기성교회에서 이단으로 이동하는 성도를 통한 성장이 많습니다. 이단들은 비기독교인보다도 기독교인을 공략하여 세를 확장하고 있습니다.

심지어는 목회하는 사역자까지 이단에 빠지고 있습니다. 이러한 상황을 방지하기 위해서 다음과 같은 대책 마련이 필요합니다.

신학교육을 통한 이단 방지

기독교의 이단 · 사이비의 문제는 기본적으로 교리나 신학의 문제입니다. 한국교회와 성도들이 기독교의 바른 교리와 기초적 신학으로 무장되어 있다면 이단 · 사이비 문제는 해결될 것입니다.

첫째, 신학교육에 있어서 이단 · 사이비를 대처하는 교육이 좀 더 구체적이고 실제적일 필요가 있습니다. 신학교에서 신학교육을 할 때 보다 더 구체적이고 실제적인 이단 퇴치를 위한 교육이 필요합니다.

둘째, 신학교육과 목회 현장 간의 괴리 현상을 극복하는 데 힘써야 합니다. 신학자들은 이단 분별과 연구를 통해 교회를 돕고 교회를 위한 신학이 될 수 있도록 힘써야 합니다.

셋째, 이단 · 사이비 신앙운동에 대한 집중적인 연구와 대처를 위해 신학교에 연구소나 상담소를 두어 운영함으로써 진상을 조사하고 연구 파악하여 검증한 후 교계에 내어 놓아 공신력 있는 영향력을 끼치게 해야 할 것입니다.

목회자를 통한 이단 방지

이단·사이비로 빠지는 데에는 목회자에게도 많은 책임이 있다는 부분이 늘 제기됩니다. 목회자는 이단·사이비 문제에 있어서 큰 피해자이며, 문제 해결을 위해 가장 노력하는 분들이면서도 문제의 원인을 제공하기도 합니다. 그러므로 이단에 대한 목회자들의 바른 태도와 자세 확립도 중요합니다.

첫째, 목회자 자신이 신앙과 교리, 그리고 바른 신학 위에 확고히 서야 합니다. 그리고 이에 따른 목회철학도 확고해야 합니다. 목회를 사명이 아니라 생계 수단으로 여기거나 성도수를 모으는 데 너무 집착하여 이단으로 빠지는 경우들이 있으므로, 먼저 목회자 자신의 신학이 확고해야 합니다.

둘째, 목회자들은 평소 성도들의 교리교육에 힘쓰고 기초적 신학을 가르쳐야 합니다. 바른 교리로 교인들이 의식화되면 쉽게 이단에 미혹되지 않습니다. 본 교재와 참고서적을 활용하여 적극적으로 교리교육에 힘써야 합니다. (예 : 교리교육지침서 〈예장통합〉) 이단 문제는 예방이 최선입니다.

셋째, 목회자 자신이 먼저 이단 전문가나 이단 감별사, 혹은 이단 치료사가 되어야 합니다. 그러기 위해서 이단에 관심을 가지며, 연구를 하여 나름대로 대처 방안을 가지고 있어야 합니다.

마지막으로, 목회자는 정도목회를 해야 합니다. 사랑의 목회, 치유의 목회, 위로의 목회로 정도목회를 해 나갈 때 성도들이 이단으로 이탈하거나 미혹되는 것이 줄어들 것입니다.

이단·사이비를 척결하는 최대의 힘은 평신도 모두가 복음의 진리로 무장한 이단 박멸 특공대가 되는 것입니다.

첫째, 평신도 자신들이 기독교 복음의 진리로 무장을 하고 기본 교리로 기초적인 무장을 해야 합니다. 바른 복음이 무엇인가에 대한 문제의식을 가지고 담임목사님이나 신학자들과 계속 공부하며 자문을 받아야 할 것입니다.

둘째, 우리 자신 속에 이단·사이비성의 종교성이 내포되어 있진 않은지 정확하고 냉철한 자기 성찰이 필요합니다. 우리나라 사람들은 도피, 혼합, 기복, 신비, 의존성을 가지고 있습니다. 이것들은 긍정적인 영향을 미치기도 하지만, 이단에 미혹될 성향이 되기도 합니다. 자신을 살펴보는 것이 중요합니다.

셋째, 교회 공동체 안에서 생활하는 것이 이단으로부터 벗어날 수 있는 최선의 방법입니다. 성경공부는 물론이며 교제나 사랑의 나눔이 교회 공동체 안에서 이뤄져야 합니다. 이웃교회의 집회나 이상한 집단에서의 성경공부에 기웃거리지 말고, 모든 모임과 배움이 교회 안에서 이뤄지도록 해야 합니다.

외부의 성경공부에 관심을 갖기보다 공부하기를 원한다면 반드시 담임목사님이나 담당 목사님들과 상의해서 그 단체의 성격을 파악하는 것이 중요합니다.

넷째, 가족 공동체가 아름답고 신앙적이어야 합니다. 가정이 신앙 안에서 건강하고 아름다울 때 이단이나 사이비에 미혹되지 않습니다.

교회에서 이단과 관련한 법률적인 문제가 대두되는 것은 주로 이단들의 활동을 막기 위한 노력에 대한 이단들의 고소로 시작됩니다. 이단들은 고소 고발을 남발하며 교회와 각 이단 대책 단체들을 괴롭혀 무기력하게 만들려고 합니다.

이단들은 교회나 선교단체가 자신들의 활동을 반대하는 유인물을 만들거나 집회를 하면, 물리적인 행사를 통해 저지를 하거나, 집요하게 고소하고 괴롭힙니다. 때로는 학생들에게 사과문을 받아내게 되는 경우에는 이것을 다시 활용하여 자신들의 논리를 옹호하는 자료로 사용하므로 주의가 요구됩니다. 그러므로 법률적인 문제가 발생하지 않는 것이 가장 좋으나, 굳이 발생한다면 반드시 승리해야 하며, 또한 행사를 기획하거나 유인물을 만들 때 지혜롭게 만들어야 합니다.

나례) 대전시기독연합회 산하 이단·사이비대책위원회(이하 이대위)에서는 신문 전단지와 방송 매체를 통해 지속적으로 홍보하는 구원파 박옥수의 이단성을 지역교회와 대전 시민들에게 알리는 전단지를 만들어 배포하였습니다. 그 내용은 대전지역 24개의 기독교 관련 단체와 단체장의 공동명의로 발행되었습니다. 구원파에서는 이 문건에 대해 '이대위' 위원장을 명예훼손으로 고소하고, 연명한 각 22개 단체장에게 내용증명을 보내 이 문건에 동의하지 않았다는 내용의 답변을 보내도록 요청했습니다.

이 사건은 지방검찰에서 무혐의 처리되었으며 이단측의 재조사 요구로 고등검찰에서 벌금 300만원, 1심에서 벌금 300만원, 2심에서 무죄, 대법원에서 무죄 선고를 받았습니다.(명예훼손(사건 2006도5924))

이들은 법적으로 최선의 결과를 얻지 못한다는 것을 인지하면서도 단체장을 집요하게 고소하여 마음을 어렵게 한 후, 이단에 대해 미온적인 태도를 가지도록 유도합니다.

대안

1) 명예훼손이라는 것은 '공연히 구체적인 사실이나 허위 사실을 적시(摘示)하여 사람의 명예를 훼손함으로써 성립하는 범죄'(형법 307조)를 의미합니다. 지역에서 이단 대책 전단지를 만들어 홍보할 경우, 전체적으로 큰 내용들이 명예훼손에 해당될 수 있는지 변호사의 자문을 받아야 합니다.

2) 가능하면 근거 자료를 인용하여 활용하는 것이 좋습니다. 우리가 전단지를 만드는 목적은 공공의 유익을 위한 것이므로, 관련 도서나 방송매체 등의 보도 자료를 인용하여 사실을 직시하게 하는 것이 좋습니다. 그러나 교주 개인의 채무 관계나 이성 관계에 관한 것들에 대한 집요한 공격은 명예훼손에 해당될 수 있으므로 공익성을 중시하여 이미 보도된 자료들을 활용하며 무엇이 잘못되었는지를 짚어 주는 것이 좋습니다.

3) 이단 대책 집회시 이단들의 난입과 폭력성에 관해서는 집회가 계획되면 사전에 경찰에 알려 집회시 조직적으로 방해하는 이단들을 색출하여, 현장에서 업무 방해 및 예배 방해로 사법 처리시켜야 합니다. 교회의 미온적인 대처가 이단들의 끝없는 오만을 불러옵니다.

4) 교회에 침투하여 교회를 문란하게 만들고 성도들을 미혹하여 빼내가는 경우에 예배 방해가 성립될 경우, 고소해서 법적인 제재를 받도록 해야 합니다. 그래야 교회침투 사례가 줄어들 것 입니다.

3. 이단 · 사이비를 비호하는 도서 및 언론

기독교 혹은 교회라는 명칭으로 발간되는 책과 신문 중에도 건강한 신앙을 위해 주의해야 할 부분들이 있습니다. 언론매체 중에는 한기총과 일부 교단으로부터 이단 · 사이비 옹호 언론으로 지목받은 언론이 있는가 하면, 이단들이 자체로 만든 언론매체도 있으므로 주의가 필요합니다. 또한 각 교단마다 이단 · 사이비 홍보 언론에 대한 판단 및 지정 사례가 다양하므로 사안에 따라 참고적인 자료로만 활용하시기 바랍니다. 다음은 '교회와 신앙'의 기사 내용입니다.

정통과 이단

이 책은 예장연이라는 단체에서 만든 책으로 김기동(성락교회), 이초석(예수중심교회), 김풍일(새빛등대중앙교회), 김계화(할렐루야 기도원), 기독교

'정통과 이단'을 활용하여 자신들을 옹호하는 구원파

'정통과 이단'을 홍보하는 기독평론신문

교회(이재록), 말씀보존학회(이송오), 박무수(부산제일교회), 박윤식(대성교회) 등을 이단성이 없다고 규정하고 있어 논란이 되었습니다.

감수를 했다던 장신대 모 교수도 감수한 사실이 없다고 밝히며 사과를 요구했습니다. '정통과 이단'이 출간되자 이단들은 이 책을 대대적으로 홍보하며 자신들의 정통성을 주장하였습니다 (관련사진 참조).

이와 관련하여 '정통과 이단'을 대대적으로 홍보한 기독 언론으로는 '크리스찬○합신문', '연○공보', '기○한국', '들소○신문', '주○신문' (김기동의 성락교회 발간) 등입니다.

한편, '정통과 이단' 발간 총괄책임을 맡은 것으로 알려진 이모(某)씨는 1995년 자신의 주간신문 '기독○널'을 통해 베뢰아 아카데미 김기동(서울성락교회), 안식교 등 한국교회의 주요 이단들을 이단이 아니라고 대서특필했던 사람입니다. 그 일로 '기독○널'은 예장통합측

우리 시대의 이단들

130

으로부터 1995년(80회 총회) '이단옹호언론'으로 규정되었고 그 자신은 합동측으로부터 그 일이 문제가 되어 노회를 탈퇴했으나 끝내 제명되었습니다. 문제의 신문 '기독○널'은 현재 발간되지 않고, 최근 '기독○론신문'이라는 이름을 사용하고 있습니다. 이 씨는 한때 '나○일보'라는 소규모 일반 신문을 운영하다가 1998년 검찰 당국의 사이비 언론 행위 일제 단속에 걸려 구속된 바 있습니다

한편, 한국기독교총연합회(한기총) 산하 이단대책위원회에서는 크리스찬 신문을 이단·사이비 옹호 언론으로 규정하였습니다.

(자료참고 : 교회와 신앙 2004. 7. 7).

4. 기도원 이용시 주의점

기도원은 한국교회가 부흥하는 데 많은 기여를 했습니다. 하나님을 제대로 믿는 성도들이라면 최소한 한 번은 기도원에 가서 기간을 정해 놓고 특별한 목적을 위해 때론 금식하거나 집회에 참석하면서 기도한 경험이 있을 것입니다. 이처럼 기도원은 성도들의 신앙의 회복과 하나님과의 기도를 통한 만남과 응답과 체험을 갖게 하는 순기능이 있습니다. 그러기에 지금도 많은 기도원에서 성도들은 기도하고 있습니다.

그러나 이러한 기도원 중에 문제가 많은 기도원들이 있기에 건전한 신앙 생활을 위해 문제점이 있는 기도원들을 점검해 봅니다.

문제성 있는 기도원

일반적으로 기도원은 기도가 강조되고 체험과 신유 등 초자연적인 은사가 강조됩니다. 또한 그러한 필요를 느끼는 분들이 기도원을 찾기도 합니다. 건전한 기도원을 찾기 위해서는 그러한 여러 가지 은사가 강조된다 하더라도 그것들이 성경과 말씀에 위배되지 않는지 잘 분별하여야 합니다. 다음은 주로 문제 있는 기도원들에 나타나는 점들입니다.

1) 하나님의 말씀보다는 환상이나 원장의 계시와 영적 체험을 강조하여 말씀의 이탈을 가져오게 합니다.

2) 생수나 원장의 수건 등 사물을 치료의 수단이나 도구로 신성화

하여 하나님보다 사물을 의지하게 하여 신앙이 이탈할 수 있는 위험성을 갖게 합니다.

3) 신비체험에 과도하게 열중하게 합니다. 입신, 접신, 방언, 환상, 신유, 진동 등 격렬한 체험을 신앙의 전부인 것처럼 강조합니다.

4) 문제성 있는 기도원은 원장이 바른 교리와 신학을 공부한 적이 없고 말씀보다는 개인의 체험을 중시합니다.

주의점

1) 기도원 이용시 체험을 빙자하여 몇 번 기도해 준 후 함께 산에서 개인 기도하자고 유혹한 후, 성폭행을 하는 사례들이 보고되고 있습니다. 건전한 기도원이라 할지라도 기도원과 관련 없는 사람들에게 함부로 안수 받거나 미혹되어서는 안 됩니다.

2) 문제성 있는 기도원에서 행해지는 치유를 위해 병원의 치료와 약을 중단하여 심각한 상황에 빠지는 예들도 있습니다. 병원 치료를 병행하며 의사의 지시와 목사님의 지도를 따르는 것이 믿음 없는 행위가 아님을 기억해야 합니다.

3) 입신, 접신, 방언, 환상, 신유, 진동 등 격렬한 체험이 신앙의 전부가 아닙니다. 초자연적인 현상에 너무 집착하는 것은 건전한 신앙을 해치게 됩니다.

대안

1) 기도원을 이용할 때는 반드시 교회 담임목사님이나 담당 목사님과 의논하여 기도원의 성격과 특징들을 충분히 파악해야 합니다. 미혹하는 사람들의 입소문을 통해서 기도원을 찾게 될 경우 여러 가지 피해를 봅니다.

2) 지역에서 이미 검증된 건전한 기도원들을 이용해야 합니다. 지역교회들과의 교류에 오랫동안 특별한 문제점이 없었던 기도원을 이용합니다.

3) 새롭게 생긴 신흥 기도원은 반드시 목사님께 문의하고 신앙 지도를 받아 이용해야 합니다.

5. 이단들의 교육기관 및 사업체

이단들의 주요 교육기관 및 사업체

이단들은 교세를 확장하거나 포교의 목적으로 교육기관과 사업체를 운영하고 있습니다. 그러므로 성도들의 특별한 주의가 요구됩니다. (자료출처: 월간 현대종교)

이단들이 운영하는 교육기관

1. 박옥수의 구원파, 대한예수교침례회 (대표: 박옥수)

- 링컨대안학교 (서울시 중랑구 망우1동 308번지), 링컨하우스스쿨(경기도 부천시 원미구 약대동 10–2), 부산링컨스쿨(부산광역시 남구 대연 4동 730)

2.레마선교회 (대표: 이영범)

- 예일신학대학원 대학교(경기도 화성시 동탄면 중리 436번지)

3. 할렐루야기도원 (대표: 김계화)

- 효성고등학교 (경기도 성남시 수정구 심곡동 321)

4. 말씀보존학회 (대표: 이송오)

- 크리스찬중고등학교, 킹제임스성경신학대학 (서울시 강서구 방화3동
  829-4 금강프라자 7층)

5. 한농복구회(구 엘리야복음선교회, 대표: 박명호)

- 마근담농업학교(중학교- 경상남도 산청군 시천면 사리 산 4번지)
- 돌나라한농예능학교(고등학교- 전라북도 완주군 동상면 신월리 마당목
  162번지)

6. 세계평화통일가정연합(창시자: 문선명, 대표: 황선조)

- 선화유치원 (서울시 광진구 능동 25번지)
- 경복초등학교 (서울시 광진구 능동 25번지
- 선화예술중고등학교 (서울시 광진구 능동 25번지)
- 선정중고등학교 (서울시 은평구 갈현동 227-5)
- 선정실업여자고등학교 (서울시 은평구 갈현동 227-5)
- 선문대학교 (충남 아산시 탕정면 갈산리100 아산캠퍼스, 충청남도 천안시
  쌍용동 381-7 찬안캠퍼스)
- 청심신학대학원대학교 (경기도 가평군 설악면 송산리 산 1번지)

7. 제칠일안식일예수재림교회 (창시자: 엘린 G. 화이트)

- 약 30여개의 교육기관이 있음
- 춘천삼육초등학교, 태강삼육초등학교, 광주삼육초등학교, 동해삼육초등학교, 부산삼육초등학교, 서해삼육초등학교, 서울삼육초등학교, 원주삼육초등학교 (초등학교 총 10개)
- 한국삼육중고등학교, 호남삼육중고등학교, 대전삼육중학교, 동해삼육중고등학교, 서해삼육중고등학교, 서울삼육중학교, 사울삼육고등학교 (중고등학교 15개)
- 삼육대학교, 삼육의명대학, 삼육간호보건대학교
- 청암중고등학교, 다산고등학교, 동성학교, 삼육재활학교, 세원고등학교 (안식교인이 직접운영)

8. 서울 성락교회 (대표: 김기동)

- 베뢰아국제대학원대학교 (서울시 영등포구 대림동 665-10)

이단들이 운영하는 사업체

이단들이 운영하는 사업체의 물품을 이용하는 것은 이단들의 포교활동에 직간접적으로 자금을 주는 것과 같은 이치입니다. 그러므로 상품이나 제품을 꼼꼼히 살펴보아 그리스도인들이 구매함으로 이단을 돕는 일이 발생하지 않도록 해야 합니다.

1. 안식교

- 서울위생병원, 서울 위생치과병원, 부산위생병원, 에덴요양병원, SDA 영어학원

- 삼육두유등 삼육이 들어가 있는 두유 상품

2. 통일교

(주) 일화 (성도들이 주로 접하는 판매되는 물품) 맥콜, 삼정톤, 진생업, 우황청심환, 너트밀, 초정탄산수, 니어워터 O2, 각종 음료수, 구충제, 자일리톨 껌 등 통일교가 운영하는 업체는 너무 많습니다. 본 교재 통일교 편에서 참고하시기 바랍니다.

3. 구원파

세모유람선(한강유람선), 세모스쿠알렌, 세모페인트 세모조선소, 세모건설, 과천우정병원,

4. 안상홍증인회 : 멜기세덱 출판사, 멜기세덱 성경연구원

5. 김기동 : 주일신문

이용 가능한 주요 사이트 및 도서

1. 이단 · 사이비 대책위원회

2. 인터넷 사이트

3. 이단 대책 관련 도서

1. 이단 · 사이비 대책위원회

   − 한국기독교총연합회 이단 · 사이비 대책위원회

   − 주요 교단(예장합동, 통합, 기성, 기침 등) 산하 이단 · 사이비 대책위원회

   − 주요 도시 기독연합회 산하 이단 · 사이비 대책위원회

2. 인터넷 사이트

   이단 · 사이비의 피해 사례 접수와 상담, 정보 제공, 그리고 구출까지 담당하는 유용한 사이트들을 소개합니다. 아래의 자료는 인터넷을 통해서 수집되었습니다.

   인터넷 매체 중에는 이단들이 운영하는 이단 · 사이비 대책 사이트도 있으므로 주의가 요구되는 부분도 있습니다.

   · 무엇이든 물어 보세요

   주소 : http://cafe.naver.com/anyquestion.cafe

   내용 : 13년 동안 이단을 연구해 오신 대한기독교 감리회 평신도와 이단관련 전문기자가 공동으로 운영하는 사이트로 이단에 대한 소개와 상담을 하고 있으며, 질문과 답변을 통해서 건전한 신앙으로 이끌고 있습니다.

   · 한국기독교총연합회(한기총)

   주소 : http://www.cck.or.kr/

   내용 : 한국 기독교의 여러 교단과 연합기관, 그리고 건전한 교계 지도자들의 연합체인 한기총에서 이단 · 사이비 피해자 신고 접수를 하고 있습니다.

   · 국제종교문제연구소(월간 현대종교)

   주소 : http://www.hdjongkyo.co.kr

내용 : 국내외 종교단체들의 문제점을 분석, 정리하면서 현대사회의
종교 문제를 진단하고 있습니다.

· 바로알자 신천지 홈페이지
주소 : http://www.antiscj.com/
신천지교리비판, 실상비판 그리고 관련 동영상과 경험담 제보, 필독
자료 등 다양한 신천지에 관련된 자료가 있는 사이트입니다.

· 바로알자 신천지 (갓피플)
주소 : http://cafe.godpeople.com/onlygodsglory
김명주목사님과 황의종목사님이 운영하는 사이트로 신천지의 폐해
와 실상을 바로 알리며, 상담을 해 주는 사이트입니다.

· 바로알자 신천지 (다음)
주소 : http://cafe.daum.net/hook8585
이단전문가로 활동 중인 황의종목사님(대한예수교장로회 중부산노회
이단연구위원)이 운영해 오던 신천지 전문 상담 사이트였으나 신천지
고소로 3년 째 사이버 가처분 중에 있으며 곧 소송으로 회복시킬 예정
입니다.

· 신천지 피해자 모임
주소 : http://cafe.godpeople.com/exodusscj
신천지에 공동대처하기 위해 만들어진 신천지 피해자들의 모임입니다.

· 안티신천지 자료실
주소 : http://clubbox.co.kr/antiscj
신천지에 관한 각종 자료들이 있는 전문 사이트입니다.

· 한국기독교이단상담소

주소 : www.jesus114.net

대한예수교장로회 합동측 이단대책위원장으로 진용식 목사님이 운영
하는 이단상담소입니다.

· 청주지역이단상담소

주소 : http://cafe.daum.net/cjjesus114

한국기독교이단상담소 청주지소 소장이신 김덕연 목사님이 운영하시
는 이단상담 사이트입니다.

· 신천지이단상담소

주소 : http://cafe.daum.net/cjjesus114

대한예수교장로회 합동측 목사님이 운영하는 이단상담 사이트입니다.

3. 이단 대책 관련 도서
   · '교리교육 지침서' (지도자용, 평신도용) - 총회 교리교육지침서 편찬위
     원회 편 / 한국장로교출판사 / 1994
   · '교회사 안에 나타난 이단&정통' - 해롤드 브라운 / 그리심 / 2001
   · '교회와 이단' - 기독교이단문제연구소 / 월간지
   · '기독교 이단 길라잡이' - 근광현 / 도서 출판 누가 / 2003
   · '기독교의 이단들' - 심창섭, 김도빈, 오영호, 박영관 / 대한예수교장
     로회 총회출판 / 1997
   · '뉴에이지 이단운동' - 월터 마틴 / 기독교문서선교회
   · '마지막 때가 되었음을 어떻게 알 수 있을까 : 사이비종말론 근절을
     위한 지침서' - 헨리 모리스 / 말씀과만남 / 1993

- '박옥수, 이요한, 유병언의 구원파를 왜 이단이라 하는가?' – 정동섭, 이영애 / 죠이선교회출판부 / 2004
- '사이비 종교' – 위고슈탐 / 홍성사
- '세계교회사에 나타난 이단논쟁' – 정행업 / 2000
- '신천지와 하나님의 교회의 정체' – 월간 현대종교/2007
- '어떻게 이단들에게 답해야 할까' – 로버트 파산티노 외 / 엠마오 / 1995
- '이단 진단과 대응' – 최병규 / 은혜출판사 / 2004
- '이단과 사이비' – 김영무, 김구철 / 아가페문화사 / 2004
- '이단종파' – 기독지혜사
- '이단종파 비판' – 박영관 / 기독교문서 선교회 / 1976
- '이재록의 이단정체' – 이대복 / 큰샘 / 1999
- '진리 거짓 미혹' – 케이트 브룩스 / 아가페문화사 / 1998
- '통일교 교리비판' – J I 야마모도 / IVP / 1988
- '한국교회사에 나타난 이단논쟁' – 정행업 /한국장로교출판사 / 1999
- '한국 교회와 종말론' – 총회신학 교육부 / 1991
- '세계교회사에 나타난 이단논쟁' – 정행업 /한국장로교출판사 / 2000
- '한국의 신흥종교' – 국제종교문제연구소
- '현대종교' – 국제종교문제연구소 / 월간지